metal fırtına-2
kurtuluş

BURAK TURNA

metal fırtına-2
kurtuluş

BURAK TURNA

Bu kitap
***Osman Okçu**'nun yayın yönetmenliğinde*
***Neval Akbıyık**'ın editörlüğünde*
yayına hazırlandı.
*Kapak tasarımı **Kenan Özcan***
tarafından yapıldı.
1. baskı olarak 2005 Eylül ayında yayımlandı.
Kitabın Uluslararası Seri Numarası
(ISBN) : 975-263-223-8

Baskı ve cilt:
Prizma Press Matbaacılık
Merter Keresteciler Sitesi
Fatih Cad. Yüksel Sok.
Tel: (0 212) 637 48 02

TİMAŞ YAYINLARI

***İrtibat** : Alayköşkü Caddesi. No.: 11*
Cağaloğlu / İstanbul
***Telefon** : (0212) 513 84 15*
***Faks** : (0212) 512 40 00*

www.timas.com.tr
timas@timas.com.tr

TİMAŞ

TİMAŞ YAYINLARI/1306
POLİTİK KURGU-ROMAN/4

metal fırtına-2
kurtuluş

BURAK TURNA

TİMAŞ YAYINLARI
İSTANBUL 2005

B U R A K   T U R N A

20 Ocak 1975 yılında İstanbul'da doğdu. İlk, orta ve lise öğrenimini Yeşilköy'de tamamladı. Kıbrıs Girne Amerikan Üniversitesi İşletme Bölümü'nden mezun oldu. Medya, bankacılık ve tekstil sektörlerinde iş deneyimi kazandı. Yazarlık serüveni, ilk romanı Metal Fırtına ile başladı; ancak hayal kurma serüveni, bilincinin açıldığı ilk andan beri sürüyor. Profesyonel yazarlık hayatına başladığı ilk kitabı "Metal Fırtına" on dört hafta boyunca en çok satanlar listelerinin birinci sırasında yer aldı. Yazarın "Metal Fırtına" ve "Metal Fırtına-2/Kurtuluş" dışında yine politik kurgu kulvarında "Üçüncü Dünya Savaşı" isimli bir kitabı daha bulunmaktadır. Yazar, kendi geliştirdiği ve "Metal Fırtına" romanının temelinde bulunan mantık sistemini anlattığı "SistemA: Geleceğin Düşüncesi" isimli denemesini yakın zaman içinde yayınlamayı düşünüyor.

info@burakturna.com

www.burakturna.com
www.metalfirtina.com.tr

17 Haziran 2007

Gökhan Birdağ, hemen odayı terk etmek istememişti. Türkiye'den gelen haberleri dinledikçe orada daha da fazla kalmak istiyordu. Adrian III. Lynam'ın yalvaran bakışları, içinde en ufak bir acıma duygusu bile uyandırmıyordu. Onun bedeninin yavaş yavaş pisliğe batmasını seyretmekten zevk almaya bile başlamış gibiydi.

"Eğer sana bir şeyler anlatırsam, bana bunu yapmaktan vazgeçer misin?" diye sordu Lynam. İçinde hâlâ bir umut vardı. Gökhan, onun bu haline acıdı. Gerçekten de hiçbir bilgi ya da başka herhangi bir şey onu içinde bulunduğu buhar tankından bozma metal kafesin içinden kurtarmaya yetmezdi. Ama tabii Gökhan ondan fazladan bir şeyler öğrenirse hiç de fena olmazdı bu. Kurbanı yok olurken ona iyi davranmak gibi bir amaç taşımıyordu.

"Peki Lynam, eğer seni öldürmekten vazgeçmeme neden olacak kadar önemli bir bilgi verirsen, bunu bir kez daha düşünürüm."

Bir an için Lynam'ın yaşlı gözlerinin içinin parladığını gördü. Garip bir şekilde onun az sonra çekeceği acının artmasından mutlu oldu. Bu mutluluk için pişmanlık duymayacaktı.

“Benim gerçekten her şeyin başı ve çok önemli biri olduğumu mu düşünüyorsun?”

“Bana bak Lynam, ben öyle çok düşünmem, tamam mı? Bildiklerim ve önyargılarım vardır. Ve bunlara göre hareket ederim.”

“Hah, aslına bakılırsa senden daha fazlasını beklerdim. Beni öldürmekle işi yarım bıraktığını söyleyebilirim sana.” Ölüm tankının içinde bile patron gibi davranmaya çalışmasına şaşırmadı Gökhan. Büyük bir güce hükmetmişti o ve şimdi yavaş yavaş yok oluyordu.

Odanın içi korkunç bir koku ile dolmuştu. Burundan nefes almak neredeyse imkânsızdı ama Lynam sanki hiç koku almıyor gibiydi. Yaşadığı şok nedeniyle belki de beyni hayatta kalmaya o kadar yoğunlaşmıştı ki, ne koku ne de başka bir duyusu çalışıyor olmalıydı.

“Peki Bay Lynam, sizi dinliyorum, işi tamamlamam için bana yardımcı olun.”

“Ben sadece bir aracıyım aslında.”

“Ne, bir aracı mı, milyarlarca doları yönetip, büyük bir ülkeye saldırılmasının altyapısını hazırlayıp, sonra da aracı olduğunu mu söylüyorsun?”

“İyi bir katil olduğuna şüphem yok ama iş güç mevzularında yeterince iyi değilsin.”

“O pisliğin içinde çürürken bile ukalasın Lynam, ama etlerin aniden kemiklerinden sıyrılmaya başladığında böyle olamayacaksın.”

“Dünyayı ele geçirmeye çalışıyorlar. Yüzyıllar öncesinden beri süregelen bir bilinç, bir irade var ortada. Bütün dünyaya yayılmış inanılmaz bağlantılar söz konusu. Her gün gazetelerin manşetlerinde okunan haberlerin çoğunun kaynağı bu irade. Kesin bir şekilde dünyaya hükmetmek istiyorlar. Kullanamayacakları hiçbir araç yok. İnsan hayatına önem vermiyorlar; parayı, bankaları, borsaları onlar yönetiyor. İstedikleri zaman finansal krizler çıkartıp ceplerinizdeki paranın yok olmasını sağlıyorlar. Savaşlar çıkartıyorlar, isterlerse bir dünya savaşını bile çıkaracak altyapıyı hazırlayabilir ve bunu kendi çıkarlarına göre düzenleyebilirler, zaten bunu yapacaklar bir gün."

Gökhan, Lynam'ı dinlerken ilk kez bu adamın söylediklerine inandığını hissetti. Gözünde gittikçe küçülüyordu Lynam. Beş para etmez bir taşeron gibi davranmaya başlamıştı. Bu duygu hoşuna gitmedi Gökhan'ın. Zavallıları öldürürken içi çok acıyordu. Zavallı birisini öldürmemişti hiç, öldüremezdi. Kaşar'ı hatırlıyordu o zaman, küçüklüğündeki eğitim sonunda, Kaşar'ı hiç suçu olmadan öldürmüş olmasını vicdanı hep bir yerlerde sorgulamıştı.

"Benim kafamı karıştıramayacağını biliyorsundur umarım Lynam. Kimlerden bahsettiğini anlamıyorum. Bana isim ver, adres ver. Bu saçmalıkları çok dinledim. Hiçbir şey ifade etmiyor söylediklerin. Bu gidişle zaten milyarda bir olan kurtulma şansını da kaybedeceksin."

"Bana bak, zaten bacaklarım gitgide garip hislerle dolmaya başladı. Şimdiye kadar hiç olmadığı kadar rahat."

"Bu çok doğal Lynam, bacakların yüklerinden tamamen kurtulmaya başlıyor. Onları bir arada tutan bütün bağlar çözülüyor."

Lynam karşısındaki adamın nasıl bir ruh hali içinde olduğunu anlamaya başlamıştı. Şansının olmadığını anlamıştı. Ama hâlâ bedeni hayatta kalmak için beynini yanıltıcı sinyaller veriyordu. Gökhan'ı ikna etmek için uğraşmasını istiyordu.

"Peki, sana isim vereceğim, ama bu isim seni bir yere götürmez."

Gökhan umutlandı birden, *hadi ver şu ismi bana,* diye düşündü. Ama bu heyecanını belli etmiyordu. Yüzündeki ifade hiç değişmemişti, ama Lynam da bulunduğu konuma boşuna gelmemişti. O haliyle bile Gökhan'dan yayılan adrenalinin kokusunu almıştı. Hayatta kalması için gereken her şeye karşı hassastı bedeni.

"Eğer beni buradan çıkarırsan, o ismi alırsın."

Gökhan şaşırdı birden ve gülmeye başladı. *Bu adam çılgın birisi,* diye geçirdi içinden. Sonra düzeltti, sadece yaşamak için çırpınan birisiydi o kadar.

Bir şeyler yapmalıydı. Burada fazla zaman da harcamak istemiyordu.

"Peki Lynam, seni oradan çıkaracağım."

Lynam duyduklarına inanamıyordu. Onu kandırmıştı işte. İsmi verecekti, ama bu adam tek başına o isme hiçbir şey yapamazdı, hatta onu görmeyi bile başaramazdı.

Gökhan Lynam'ı kapattığı kazanı devirdi ve alt kapağını açtı. Kazanın içinden çıkanları bakmaya dayanamıyordu. Lynam'ı hızla bacaklarından çekerek odanın dışına sürükledi. Adam inanılmaz bir mutluluk içindeydi.

Bedeni o kadar yumuşamıştı ki biraz daha sertçe çekse elinde kalabilirdi bacakları.

"Lynam, sadece on saniyen var. Hemen ismi söyle, yoksa o deliğe tekrar girersin."

"Peki... dur... biraz zaman ver bana..."

"Sana zaman falan vermeyeceğim. Şu anda bu durumda bulunman bile senin için inanılmaz bir şey."

"Bak, seninle ofisime gidelim, orada sana pek çok dosya verebilirim."

Gökhan bir kez daha şaşırmıştı. Bu adam kendisini aptal yerine mi koyuyordu acaba?

"İsimmm!" Keskin bakışlarını Lynam'a dikti.

"Moşe Şalom!"

Gökhan'ın yüzüne oturan ifade, Lynam'ın hiç hoşuna gitmemişti. Yaşlı yüzü gerildi ve az önce kapıldığı umut duygusu, yerini karanlığa bıraktı.

"Lynam, bu isim ne kadar doğru bilmiyorum ama..."

"Doğru, yemin ederim doğru. Amerikan Hazine Bakanının doğrudan rapor verdiği bir insandır kendisi. Dünyadaki para akışını kontrol eden nadir insanlardan. Bütün bu operasyonların arkasında o vardı. Benim esas patronum o. Ben sadece Metal Fırtına'yı idare eden kişiydim, bir çeşit müdür gibi."

Gökhan bunları duyduğuna çok sevinmişti.

"Bay Lynam, yaşamınız burada sona eriyor. Sizden daha fazla bir şey alabileceğimi sanmıyorum."

Lynam'ın gözleri faltaşı gibi açıldı.

"Ama beni bırakacağını söyledin, haksızlık, bunu yapamazsın."

"Lynam, küçük adamların uzun süre acı çekerek ölmesine gerek yoktur. Bu ölümü Moşe Şalom'a tattırmalıyım."

Gökhan birden sessizleşti. Lynam'ın boynuna çöktü, ellerini doladı ve sadece sıktı. Bir süre sonra banyoda temizleniyordu.

Artık o adamı bulması gerekiyordu. Hemen hazırlıklarını yapmalıydı. Ama önce birilerini aramalıydı. Bu ülkede hareket etme imkânı neredeyse hiç kalmamıştı.

Kurt'u aradı. Ne yapması gerektiğini soracaktı ona. Telefon açıldığında Kurt'un beklediği gibi konuşmadığını duyunca şaşırdı. Ona Moşe Şalom'u anlattı. Kurt bundan hiç etkilenmemiş gibiydi. Hatta sanki konu hakkında bilgisi vardı. Moşe Şalom'un bir diğer ismi de Sir Eli'ydi. Onu pek çok kişi bu isimle çağırırdı.

Gökhan'ın hemen Türkiye'ye dönmesi gerekiyordu. Yapması gereken başka bir iş vardı.

Kahroldu Gökhan üzüntüden. Bu işin esas sorumlusunu yakalamak istiyordu. Bunu yapamayacağını düşünmek onu çıldırtıyordu, işi yarım bırakmayı sevmezdi.

Kurt onu teselli etmek için elinden geleni yapıyordu.

"Merak etme Gökhan, Moşe Şalom elimizden kurtulamayacak. Halledeceğiz o işi."

"Ama nasıl Kurt, o adam çok güçlü, onu ancak ben halledebilirim."

"Gri Takım'ın Amerika bağlantılarının ne kadar güçlü olduğunu bilmiyorsun sanırım."

O kadar da güçlü değildi ama Kurt, Gökhan'ı teselli etmek için bunları söylemek zorundaydı. Ayrıca Şalom'un nerede olduğunu bulmak için çok uğraşmaları gerekiyordu. Amerika olağanüstü koşullarda olduğu için bu çalışmaları yapmak da iyice zorlaşmıştı. Kurt bazen düşünüyordu, kazanmışlardı ama sanki karanlık günler devam ediyordu. Daha yapılacak çok iş vardı.

"Onu rahat bırakmayacaksın, değil mi Kurt?" Gökhan bunu sorarken ciddiydi, işi kişiselleştirmek istemiyordu, ama kendisini o kadar kaptırmıştı ki bu olayı bizzat takip edecekti.

"Amerika'daki Gri Takım ajanları senden ibaret değil."

Gökhan bunu duyunca bir süre sessiz kaldı ama bunda şaşılacak bir şey yoktu. Kurt'un ne kirli çıkı olduğunu biliyordu ve aslında kendisinin her şeyi bilmediğini de. Ne zaman Kurt'un ona her şeyi anlattığını düşünse mutlaka yeni bir şeyler öğreniyordu.

"Bunu çok fazla sorgulamak istemiyorum Kurt, senin beni anladığını biliyorum."

"Anlıyorum seni, merak etme, tahmin edemeyeceğin kadar iyi iki Gri Takım ajanı şu anda Amerika'da. Birisini eğitimden tanıyorsun, diğerini ise tanımıyorsun, zira o hiçbir zaman sizin eğitim kampınızda olmadı. Onların eğitim kampı çok farklıydı."

"Ne, yoksa başka bir Gri Takım kampı daha mı vardı? Bunu bilmiyordum. Beni sürekli şaşırtmak zorunda mısın Kurt?"

"Gökhan, buraya geldiğinde seni daha da şaşırtacak şeyler söyleyeceğim. Şimdi seni oradan aldırmak için bir operasyon hazırlıyorum. Amerika'daki işleri bırak da orayı bilen adamlarım halletsin. Sana buralarda ihtiyacım var."

"Tamam, ama bana söz ver, Moşe'nin peşini bırakmayacaksın."

"Tamam Gökhan, söz veriyorum."

KUTSAL TOPRAKLAR

11 Ekim 2007

Gökyüzü güneşin egemenliğindeydi. Her yer alev almış gibi sıcaktı. Bu coğrafyaya alışmamış insanların burada yaşamasına imkân vermeyen bir hava vardı. İnsanlar gündelik işlerini yapmaya uğraşıyorlardı. Dünyanın dengelerinin gitgide bozulmaya başladığı bir dönemde yaşamın tadını çıkarmaya çalışıyorlardı belki de.

Riyad sokaklarındaki insanların hepsi de öyle bahsedildiği gibi zengin değildi. Petro dolarların tamamının bu halkın cebine aktığı doğru değildi. Ancak yollarda en son model arabaları görmek pek çok kişi için Suudi zenginliğinin göstergesiydi.

Türkiye sınırları içerisinde birkaç ay önce yaşanmış olaylar insanları çok fazla ilgilendirmiyor gibiydi. Onlar da, *bizden uzaktaki şeyler asla bize ulaşamaz,* diye düşünüyor olmalıydılar. Zaten Amerika da savaşı kaybetmiş ve çekilmişti. Artık korkacak bir şey yoktu.

Halk pazarında oturan esnaf, sıcağın etkisiyle mayışmışken hızla üzerlerinden geçen jet uçağın gökyüzünü yaran gök gürültüsü benzeri sesi ile irkilip oturdukları yerden fırladılar.

Apaçık gökte hiçbir şey görünmüyordu, her yer masmaviydi. Ama birazdan bir gölge hızla büyüdü ve yeri göğü yaran bir ses çıkararak pazarın üzerinden geçip gitti. Herkeste bir panik başladı. Etrafa koşuşturup televizyonları açtılar. Bir yerlerden bilgi alıp alamayacaklarını öğrenmeye çalışıyorlardı.

Televizyonlarda henüz hiçbir şey yoktu, İbrahim Tatlıses klibi ile karşılaştı televizyonların düğmesine basanlar. Uyduları olanlar hemen Türk televizyonlarına döndüler. Bu sefer tatilcileri gösteren magazin programları vardı. Ama dışarıdaki jet uçaklarının sesleri artmaya başlamıştı. İçgüdüsel olarak dükkânları kapatmaya yöneldiler. Ne olduğunu bilmiyorlardı ama ailelerinin yanına gitmeleri gerektiğine dair bir his belirmişti içlerinde.

Halk pazarının esnafı ve müşterileri pazarın dışına doğru dağılırken Kraliyet sarayının bulunduğu bölgelerden patlama sesleri duyulmaya başlamıştı. Arapça feryatlar doldurmuştu her yeri. Kimdi bunlar?

Televizyonlar bir süre sonra yayınlarını kesmeye başladı. Bazıları tamamen sessizliğe gömülürken bazıları da yorumsuz gökyüzü resimlerini koymuştu. Canlı yayında Suudi hava sahasına giren Amerikan jetlerini görebiliyorlardı.

Kimse ne olduğunu çözemiyordu. Suudi yerli halkı etrafta uçuşup bomba yağdıran uçakların Amerikalı olduğunu anlamıştı ama bir türlü bu durumu mantılı bir çerçeveye oturtamıyorlardı. Amerikalıların böyle bir şey yapacağını düşünmek imkânsızdı ama bu gördükleri de gerçekti. Patlamalar gitgide şiddetleniyordu. Amerikan savaş gemilerinden atılan uzun menzilli seyir füzeleri yerden çok alçakta uçarak Suudi Krallığının içlerine doğru mermi hızıyla kaybolup gidiyordu. Halk korku ve panik içerisindeydi.

Komuta ve kontrol merkezi, Metal Fırtına operasyonu sırasındaki yoğunluğu tekrar yaşamaya başlamıştı. Askerler birkaç ay önceki çekilme nedeniyle gergin ve sinirliydi. Hedeflerin hızla yok edilmesi gerektiğini biliyorlardı. Güney Irak ve Kuveyt'te konuşlanmış bulunan Amerikan üslerinden kalkan uçaklar, bu üsteki radarlardan hedeflerine yönlendiriliyordu. Radar uçakları sürekli olarak yerdeki ve havadaki hareketliliği bu merkezlere ileterek iletişimin sürekli açık kalmasını ve yabancı uçakların bölgeye ulaşmasını engelleme görevini yerine getiriyordu.

Amerikan ordusu kimsenin beklemediği bir anda yeniden harekete geçmişti. Bu operasyonun içeriğinin ne olduğu ve kimlere karşı yapıldığı belli değildi. Dünya medyası bu olağanüstü durumu merkezlerine bildirmek için yarış ediyordu. Amerikan ordusu içinde gömülü bulunan haberciler, hemen hemen her üste bir hareketlilik olduğunu ve savaş teçhizatlarını yüklenen Amerikalı birliklerin, üslerini terk etmekte olduğunu bildiriyordu. Telaşlı bir ordu görüyordu insanlar. Bu olayın boyutlarının nerelere gideceğini kestirmek neredeyse imkânsızdı.

Suudi Krallığı tüm dünyaya bu ani saldırı nedeniyle yardım çağrılarında bulunuyordu. Bütün Müslüman âlemine de destek çağrısı yapılmıştı. Ancak henüz hiçbir ülkeden yanıt gelmemişti.

Derken İran hızla bir kınama yayınlayarak Amerikan ordusunun Ortadoğu'dan çekilmesini istedi. Aksi takdirde meydana gelecek sonuçlardan sorumlu değildi. Tabii bu diplomatik dilli uyarılara neredeyse hiçbir yanıt gelmiyordu. Washington ölü şehre dönüşmüştü ve başkentin yeni bir şehre taşındığı günlerde savaşın başlaması tam anlamıyla bir kaos yaratmıştı.

"Hedefteki birlik, Suudi Kraliyet Muhafız Birliği!"

"Anlaşıldı Hector... Hedefin yakınlarındayız."

"Bu hedefin acilen yok edilmesi gerekiyor."

"Anlaşıldı. Vurulacak hedefin çok yakınındayız. Muhafız birliğine bağlı zırhlı araçları görebiliyoruz. Panik halindeler. Ne yaptıklarını bilmiyor gibiler. Sanırım ilk önce canlarını kurtarıp daha sonra direnişe geçecekler..."

"Bizden beklemiyorlardı sanırım."

"Evet, haklısın. Beklemiyorlardı. Ancak bunu hak ediyorlar. Bu bölgede meydana gelen olaylar nedeniyle ülkemize nükleer bomba atıldı. Acısını yine bu bölge çekmeli."

"Saldırı kuvvetleri lütfen akıl yürütmeyi bırakın. Alçaktan uçuyorsunuz, dikkatli olun, henüz Suudi hava savunma sistemine karşı bir saldırı yapılmadı."

"Anlaşıldı. Ancak bu mantığı anlayamadım. Savaş doktrinimiz mi değişti?"

"Onlar hazırlıksızdı ama biz de hazırlıksız başlattık bu saldırıyı."

Amerikan bombardıman uçakları Suudi birlikleri üzerinde vızıldarken hava savunma füzeleri harekete geçmişti. Bir patriot bataryasından çıkan PAC-2 füzesi gözle görülemeyecek bir hızla bir Amerikan uçağını havada yakaladı ve imha etti. Saldırının ilk kaybı verilmişti.

"Burası komuta kontrol merkezi. Suudi hava sahasındaki saldırı uçaklarının dikkatine! İnsansız savaş uçakları, hava sahasına girmeye başlıyor. Herkes dikkatli olsun. Kendi kendilerine otonom uçuş yapmaktalar. Hedeflerini belirleyip kendileri yok edecekler. Hava savunma füzelerinin etrafında dolaşmayın. Tekrar ediyorum. Hava savunma füzeleri ile çatışmaya girmeyin. Bırakın bu işi küçük robot uçaklarımız halletsin."

"Kahretsin, bu küçük serseri robotların bizim eğlencemizi elimizden almasına dayanamıyorum."

"Dostum bu işi bu kadar hafife alma. Bu çatışmanın sonuna kadar hayatta kalabileceğimiz konusunda endişelerim var."

"Hey, bırak bunları şimdi. Şuraya baksana, bir helikopter. Bu bir Suudi helikopteri. Avlayacağım onu."

"Anlaşıldı. Anlaşıldı. Bu bir Suudi saldırı helikopteri. Alçaktan ve çok hızlı uçuyor."

Suudi savaş helikopteri zigzaglı manevralar yaparak kaçmaya çalışıyordu ama çölde bunu yapmak çok zordu. Neredeyse açık hedef halindeydi.

"Tam onun üzerindeyim. Artı içine alıyorum. Kurtuluşu yok."

"Çabuk olun."

Amerikan savaş uçağı şimdi kendisine göre hayli yavaş uçmakta olan helikopteri hedef merkezine almıştı. Ateş düğmesine bastı ve onlarca otuz milimetre top mermisi helikopterin etrafına yağmaya başladı. Bazıları helikoptere çarpmış ve patlamıştı. Helikopterin hiç şansı olmamıştı bu saldırıda.

İnsansız uçaklar koordineli hareketlerle hava sahasına girmiş ve kendi bilgisayarlarının yardımıyla radarların yaydığı radyasyonu araştırmaya başlamıştı. Bu hedefleri yakalamaları zor olmadı. Hava alanlarını korumaya çalışan Suudi radarları, bu uçaklara kilitlenmek için zaman bulamamıştı. Onları belirlemeleri çok zordu. Ancak Amerikan uçakları çok uzun mesafelerden bu radarların kendilerini yakalayacağını anlamış ve ona göre hedefi takibe almışlardı. Bir süre sonra radarsavar füzeler, insansız uçakların yassı gövdelerinden çıktı ve hedeflerine doğru gitmeye başladı. Tüm bu süreç boyunca merkezdeki hiçbir operatör işe karışmamıştı. Bu robot uçakların davranışları gerçekten de korkutucuydu. Sanki bir gün kendi kendilerine kalkıp istedikleri yeri vurmayı öğrenebilecek bir havadaydılar. Bilgisayarları, son derece gelişmiş yazılımları ve sinir ağları sayesinde hızla öğrenebilen bir yapı geliştirilmişti. Eğer bir hedefte, olumsuz sonuç alınırsa aynı taktikleri kullanmıyor ve hedefe başka taktiklerle saldırıyorlardı.

"Hava sahası temizleniyor, Suudi hava savunma sistemi yavaş yavaş çökertiliyor."

"Anlaşıldı, yüksekliğinizi artırabilirsiniz. USS Nimitz uçak gemisi saldırı grubuna bağlı uçaklar, hava sahasına girmek için izin istiyor efendim."

"Onlara izin verebilirsiniz. Suudi hava sahası temiz. Rahatlıkla girebilirler.

Irak'taki Amerikan askeri merkezleri, kara birliklerinin harekete geçmesi için Genelkurmay Başkanı Howard Strike'ın emrini bekliyordu.

Bir gariplik vardı, uzun süre geçmesine rağmen Strike hâlâ emri vermemişti. Anlaşılmaz nedenlerle saldırı emri verilmiyordu. Bazı generaller sabırsızlanmaya başlamıştı. Strike'ı tanıyanlar ise onun nasıl biri olduğunu çok iyi biliyorlardı. Başarısızlık duygusunu kısa sürede üzerinden atacak birisiydi ve bunu yapmıştı büyük olasılıkla.

Howard Strike sabırsızlanıyordu doğrusu. Beklediği bir şey vardı ve hâlâ olmamıştı... Ortadoğu'ya saldırı emrini ilk duyduğunda kulaklarına inanamamıştı. Bu kadarı da fazlaydı artık. Üstelik kendisine hakaret ediliyordu. Bu sefer görevini başarı ile yerine getireceğine duyulan inançtan bahsediliyordu. Amerikan ordusu Metal Fırtına yenilgisinin intikamını almalıydı. Üstelik bütün Ortadoğu'yu ateş denizine çevirerek bunu yapmalıydı.

Birilerinin bunlara dur demesi gerekiyor, diye düşündü Howard Strike. Ancak kabineyi tamamen ele geçirmiş olan perde arkası güçler bu işin ucunu bırakmayacak gibiydi. Para güçleri sayesinde her şeyi yapacaklarına o kadar fazla inanmışlardı ki. Amerikan sistemi şimdi var olma savaşı veriyordu. Eğer bu kabinenin istekleri yerine getirilirse dünya yok olmanın eşiğine gelebilirdi.

Kuvvet komutanları ile yaptığı konuşmalar çok iç açıcı değildi. Hava Kuvvetleri iyi durumdaydı. İstedikleri anda Ortadoğu'da pek çok hedefi yok edebilirlerdi ama Kara Kuvvetlerinin bu hedef bölgelerini ele geçirmesi imkânsız gibi görünüyordu. Üstelik Suudi Arabistan gibi Kutsal Bölgeleri içinde barındıran bir ülkeye saldırmak, direnişi inanılmaz boyutlara taşır ve dünyanın bu bölgesini Amerikan askeri için yaşanılmaz bir yer haline getirebilirdi. O zaman topyekun bütün Müslümanlarla karşı karşıya gelirlerdi ve mutlaka kaybederlerdi. Acaba istenen bu muydu? Türkiye'ye de kaybedeceklerini bilerek sokulmuşlardı belki ve şimdi yeni bir savaşa itiliyordu ordu.

Strike bazı şeylerin göründüğü gibi olmadığını anlamaya başlamıştı. Amerika yine kaybederse o zaman nükleer silahlara başvurmak gerekebilirdi. Çünkü bu saldırıyı kaybetmek demek, bölgenin tamamen elden gitmesi demekti. Buna izin verilemeyeceğine göre... Belki de yeni kabine bunu istiyordu. Amerikan ordusunun sürekli kaybedip zor durumda kalmasını ve bu şekilde nükleer silahların kullanılma yolunun açılmasını.

Bu düşünce Strike'ın tüylerini diken diken etti. Bu oyunun içinde yer almak istemediğini biliyordu ama istifa ederse yerine başkası gelirdi ve bu emri doğrudan uygulardı. Hemen Rumsfeld'i araması gerektiğini biliyordu. Eli telefona giderken bunun doğru hareket olup olmadığını bir an bile sorgulamamıştı.

Son derece karanlık kelimelerin kullanıldığı bir konuşma geçti aralarında. Birbirlerine geçmişte yapılan yanlışları itiraf ettiler. Rumsfeld, güç tutkusunun onu yönettiğini kabul etti ve Strike'dan özür diledi. Ama artık çok geçti. Gücün esiri olmuşlar, sermaye mantığını aşmış olan para merkezlerinin işlerine gelecek biçimde davranmışlardı hep. Hepsi büyük birer yanlıştan ibaretti. Dünyayı kana bulmaya hiç gerek yokken bunu yapmışlardı ve şimdi bu kendilerine daha fazla ölüm ve savaş olarak dönüyordu. Bazı şeyleri karşılıklı olarak idrak ettiklerini görünce aslında durumun o kadar da kötü olmadığını anladılar. Ordunun yönetimi hâlâ Strike'ın elindeydi. Emirleri yerine getirmek zorundaydı ama. Alt düzeydeki subayları ikna etmesi mümkün olmayabilirdi ve bu durum hemen anlaşılırdı. O zaman planlamayı öyle bir yapmalıydılar ki, Sir Eli'nin yakalanıp yok edilmesi için gereken zaman sağlanabilsindi. Ama bunun için acilen Türkiye ile irtibat kurmaları gerekiyordu. Rumsfeld bunu hemen yapacağını bildirmişti. Strike'a düşen ise en kısa zamanda kabineyi samimi olduğuna ikna edecek bir saldırı planı hazırlamaktı. Bu planın uygulama aşamaları tabii ki Rumsfeld tarafından bilinecek ve gereken yerlere gerekli bilgiler verilecekti. Ordu içinde Strike ile aynı düşüncede olan başka generaller de vardı. Strike özellikle bu generallerin yönettiği tümenleri içine alan bir operasyon planlayacak ve en sonunda onlara düşüncelerini açıklayarak Sir Eli'nin ortadan kaldırılması için göreve çağıracaktı.

Umarım buna gerek kalamaz, diye düşündü. Amerika'da bu türden bir askeri müdahalede bulunmak görülmemiş şeydi ve büyük yankılara yol açardı. Bundan cesaretlenen bazı devletler de kendi planlarını uygulamaya koyabilirdi ve sonuçta istenmese bile büyük bir savaşa sürüklenebilirdi dünya.

Etrafındaki generaller de Strike'taki garip havayı sezmişlerdi. Neden Amerikan tümenlerinin Kuveyt'i geçerek görev verildiği üzere Suudi Krallığını işgale başlamadığını soruyorlardı. Strike ise, durumun kara saldırısı için hazır olmadığını ve Suudi direnişinin beklenildiğinden fazla olduğunu söylüyordu onlara. Ne de olsa Kutsal Toprakları tamamen ele geçirme düşüncesi, bölgedeki herkeste yoğun bir direniş yaratabilirdi. Sırada İran vardı. Yeni Amerikan yönetimi, Ortadoğu'da elde edeceği kesin zaferin hayallerini kuruyordu. Televizyonlar savaşın haberini verirken sürekli olarak Washington'daki nükleer patlamayı kullanıyor ve bu patlamanın sorumlusu olarak tüm Ortadoğu'yu gösteriyorlardı. Bunun maliyetini ödemek zorundaydılar. Eğer zafer normal yollarla sağlanamazsa her türlü karşılık verilecekti.

Altı gün önce
5 Ekim 2007

Rumsfeld ve Rice tedirgindiler. Başkan Bush'un istifasını vermesi çok da zor olmamıştı. Ancak esas sorun şimdi başlıyordu. Ne yaparlarsa yapsınlar, Metal Fırtına'ya giden yolun mimarları durmuyordu.

Rice yorgundu. Rumsfeld'in beyni ise hiç durmuyordu. Yine düşünceli gözlerle süzüyordu bulundukları odanın penceresinden dışarıyı.

"Sence bunu gerçekten yapacaklar mı Donald?" diye sordu Rice, kendi söylediklerine inanmıyor gibiydi.

"Durmaları için ölmeleri lazım. Hiçbirisinin de ölmeye niyeti varmış gibi görünmüyor. O kadar süredir onların içindeyim. Bu benim son projemdi, başarılı olamadım. Artık emekli olmak istiyorum ama bir türlü işi onların eline veremiyorum. Ben olmasam sanki bütün dünyayı yakacak bir işe girişebilirlermiş gibi geliyor. Unutma Condi, daha önce de pek çok pis işlerini durdurdum."

"Evet Donald, biliyorum sen olmasaydın kim bilir daha neler olurdu?" Bunu söylerken gülüyordu Rice. Donald da gülüyordu. Ne düzen ne de disiplin kalmıştı Amerikan sisteminde.

Rumsfeld bunun farkındaydı, işleri toparlaması gerekiyordu. Yoksa yönetim, Amerikan devlet sistemine sızmış olan yarı yasal örgütün denetimine geçmek üzereydi ki bu felaket demekti.

Ve felaket kapıdaydı.

Stillson hükümeti Ortadoğu'yu karıştırmaya niyetliydi. Ordu Irak'ta konuşlanmaya devam edecekti. Ne yapacağı belli değildi, kayıplarını telafi etmeye çalışacaklardı. Ve yönetime gelenlerin sicilleri ile ilgili ciddi sorunlar vardı. Yeni kabinenin hemen hazırlanması nedeniyle kimse kabinenin kimler tarafından kurulduğunu bilmiyordu. Yaşanan kaos sırasında Savaş Bakanı Stillson da dahil olmak üzere birtakım resmi görevliler, yeni bir kabine oluşturmuşlar ve bunu kabul ettirmişlerdi.

Yeni Başkanlık seçimleri yapılıncaya kadar Stillson kendisini Başkan seçtirmişti. Zaten sorun da buydu Stillson ismini araştıranlar hiç de iyi şeylerle karşılaşmıyordu. Rumsfeld'i en çok zorlayan ve sorun çıkaran da buydu.

Kabine ilk toplantısını New York'ta yapmıştı. Yeni bakanlar arasında dünya kamuoyunun tanıdığı kimse yoktu neredeyse. Amerikan halkı da neye inanacağını şaşırmıştı, borsa bile halen tam randımanlı olarak çalışmaya başlamamıştı. Sadece kurumsal el değiştirmeler yapılıyordu, yoksa eskiden olduğu gibi sıradan vatandaşların gidip hisse senedi alması mümkün değildi. Bunun dışında gündelik hayattaki insan, içine düştüğü savaş bunalımından kurtulmaya çalışıyor ve kendisine dayatılan tüm çözümleri hemen kabul ediyordu. Stillson hükümetinin kim tarafından kurulduğu bile bu ruhsal çöküntü nedeniyle araştırılmamıştı. Birileri Senato'da işi bitirmiş ve Amerika'nın acil bir durumda bulunduğu belirtilerek hükümetin hemen kurulması gerektiği söylenmişti. Evet, bazı adımların alışılmış teamüllere aykırı biçimde atıldığı görülüyordu ama ortada kaos vardı ve hemen düzeltilmeliydi. En azından böyle söylenmişti insanlara. Tabii ki tüm bunlar bir sonraki seçime kadardı. Bu seçimin ne zaman olacağına dair spekülasyonlar, savaş haberleri ile durmuştu. Böylesine bir ortamda seçimler asla yapılmazdı. Amerika büyük bir dünya savaşına gidiyordu ve bunu bu hükümetle yapmak zorunda kalacaktı.

Garip bir hava hakimdi o gün salona. Bu toplantının gerçekten Amerikan Başkanının toplantısı olduğunu düşünmek çok zordu. İnsanlar aslında ne için orada olduklarını bilmiyor gibiydiler. Bir çeşit darbe olmuş gibiydi. Halkın ve dünyanın dikkatinin nükleer patlamada olduğu bir sırada bütün idare, zaten yarı yarıya devlete sızmış olan perde arkası güçler tarafından elde edilmişti. Ancak bu çok tehlikeli bir durumdu.

Toplantı henüz başlamamıştı. Herkes Stillson'ın toplantıyı başlatmasını bekliyordu. Kabine üyeleri toplantının başlamamış olmasından bir hayli rahatsızdı.

"Sayın Başkan, ne bekliyoruz? Bir an önce şu toplantıyı başlatalım."

Stillson'ın elleri titriyordu, bu göreve getirilebileceğini hiç düşünmemişti. Elinin altında dünyanın süper gücünün bütün enerjisi vardı ama onu kullanacak ne iradesi vardı, ne yetkisi, ne de izni.

"Sayın Bakanlar, çok önemli bir misafiri bekliyoruz."

"Ne, misafir mi? Sizi oraya Başkan diye koymak tam bir saçmalıktı zaten. Kendiniz konuşmayı beceremiyor musunuz?"

Bakanlar bir kahkaha kopardı. Stillson ne diyeceğini bilemedi. Amerika'nın kurulma aşamasındaki eyalet meclisi toplantılarına benziyordu. Bütün düzen sıfırdan yeniden inşa ediliyormuş gibiydi.

"Beyler biraz beklerseniz, hepinizin burada olmasını sağlayan Beyefendi ile karşılaşacaksınız. Birazdan Sir Eli buraya gelecek ve çok önemli kararların alındığını göreceksiniz."

Sir Eli ismi duyulduğunda sessizlik oluştu. Onun ismini daha önce duymuşlardı ama bir gün göreceklerini tahmin etmemişlerdi. Sir Eli, artık Amerika'yı kendisi yönetmeye karar vermişti.

Hep perde arkasında kalmak bir süre sonra işleri zorlaştırıyordu. Artık doğrudan idare ile dünyaya istediği şekli verebileceğini düşünüyor olmalıydı.

Bir süre sonra kapı açıldı ve içeriye Sir Eli girdi. Bakanlar Kurulunu şok eden bir görüntüsü vardı. Yaşı belli olmayan ama elli yaşlarında olmasına rağmen otuz beş yaşlarında gibi duran birisiydi. Geriye taranmış siyah saçları vardı ve yüzündeki ifade kabinedekilerin kanını dondurdu.

Asla taviz vermeyecekmiş gibi duruyordu. Temsil ettiği gücün farkında birisiydi. Bu gücün farkında olması, onu daha da tehlikeli kılıyordu. Odadaki ışıklar çok parlak değildi. Gölgeler hareket ediyordu odanın içinde.

Stillson ayağa kalkıp Sir Eli'ye yer verdi. Sir Eli, Stillson'a hiç bakmadan onun yerine oturdu. Evet, Amerikan Başkanlık koltuğunda oturuyordu. Artık bütün güç onun elindeydi.

"Beyler, çok önemli bir görev için buradasınız." Sesi pes tondaydı, çok etkileyiciydi. Emir veriyor gibiydi ve bunda ciddiydi. Gerçek Başkan gibi davranıyordu. Stillson ise onun yanında başıyla onaylayan kişi konumundaydı.

"Türkiye savaşı sayesinde saçma işlerle uğraşan hükümeti alt edebildik. Artık kimseye ihtiyacımız yok. Bütün taşeronları ortadan kaldıracağız. Gerçek imparatorluk bugün ortaya çıkmaya başlayacak."

Bakanlar onu şaşkınlık ve saygıyla dinlemişlerdi o gün. Büyük bir şeyin içinde olma duygusuyla hareket ediyorlardı. Büyülenmiş gibiydiler. Her denileni yapacak gibi duruyorlardı. Oysa Sir Eli'nin onlardan fazla bir beklentisi yoktu. Zaten dünya çapında çok güçlü bir organizasyonu vardı ve bakanlardan tek istediği, Amerikan ordusunun hareket etmesi için gereken düğmeye basmalarıydı. Zaten uzun kariyerleri boyunca çeşitli nedenlerle Stillson için çalışmışlardı ve bu nedenle kabinede yer alma kararını vermeleri zor olmamıştı. Bir bakıma müdürlükten bakanlığa yükselmişlerdi.

"Tüm dünya bizim yenildiğimizi düşünüyor. Bu teknik olarak doğru, ama bu mağlubiyet sayesinde artık hükümeti ele geçirdik. Şimdi ana planlarımızı uygulamaya koyabiliriz. İlk olarak Ortadoğu'yu tam bir kaosun içine sürüklemeliyiz. Bu kaos sayesinde topyekun bir savaş çıkararak Müslüman dünyayı orada yenilgiye uğratmalıyız. Bu arada onların yardımına gelecek herkes bundan nasibini almalı. Ortadoğu'da taşeron devletlere ihtiyacımız kalmamalı. İsrail'in bile bizim için bir önemi yok artık. O devleti babam kurdurdu, ben kendi ellerimle yıkabilirim gerekirse. Ama ondan önce İsrail'le ilgili planlarım var. İsrail, etrafındaki ülkelere gereken zararı verip ondan sonra ortadan kalkmalı. Yani Ortadoğu'da yakılacak ateşle beraber benim politikalarıma muhalefet edebilecek hiçbir devlet yapısı kalmamalı. O zaman oradaki Yahudilerin hepsi benim kontrolüme girer."

"Sayın Sir Eli, bu düşünceleriniz gerçekten de etkileyici. Ancak biliyorsunuz, Metal Fırtına sırasında diğer devletler, örneğin Rusya bize karşı harekete geçme tehdidinde bulunmuştu."

"Ruslar bize saldırmaz, sadece tehdit ederler. Oradaki bağlantılarıma güveniyorum. Bu operasyonu derhal başlatmalıyız. Hazır hükümet bizim elimizdeyken, derhal Ortadoğu'daki büyük savaşı başlatmamız gerekiyor. Çok kayıp verilebilir ama bunun bir önemi olduğunu sanmıyorum, değil mi?"

Bakanlar başlarını salladılar. Askeri kayıpların hiçbir önemi yoktu. Hatta askeri kayıplar yönetimin işini kolaylaştırırdı bir yere kadar. Hiçbir ulus, ordusunun aşağılanması ve zarar görmesi karşısında kayıtsız kalamazdı.

"Peki Sayın Sir Eli, bu planın detayları ile ilgili bilgi verecek misiniz? Bu planı nasıl uygulamaya koymayı düşünüyorsunuz?"

Yeni hükümet, Ortadoğu'da yaşanacakları işte o gün öğrenmişti ilk defa, hem de büyük patron Sir Eli'nin ağzından.

"Plan hazır, her şeyiyle hem de. Amerikan ordusunun Suudi Arabistan'a ve İran'a saldırması gerekiyor. Bunun için gereken bahaneler hazırlanmalı. Amerika'da büyük bir terör eylemi düzenlemeliyiz. Bu eylemin sorumlusu olarak İranlılar ve Suudiler gösterilmeli. Karşılık ağır olmalı. Suudi Arabistan'daki Kutsal Toprakların ele geçirilmesi emrini verin. Aynı zamanda İsrail'de büyük bir patlama olacak ve İsrail bu saldırının İran tarafından yapıldığını zannedecek Savaşı İsrail kazanacak, ama kendisi de büyük kayıp vermiş olacak. Ortadoğu'da tek ve büyük bir devlet kurulmasını sağlayacağım. Bütün Ortadoğu halklarını benim yönetimim altına alacak bir devlet. Federal bir yapı olmalı. Her azınlığın kendi ülkesi olmalı ve hepsi de bana bağlanmalı."

"Sayın Sir Eli, bu planlarınız çok cesurca ama Kutsal Toprakların bizim tarafımızdan işgal edilmesi bütün dünyayı ayağa kaldırır."

"Buna cesaret edebiliriz. Herkesle savaşabiliriz."

Bakanlar Sir Eli'ye kuşku ile bakıyorlardı. Onun aklının yerinde olup olmadığından emin değillerdi. Ama büyük bir gücün başında olmak ve ona hükmetmek o kadar da kolay bir şey değildi. Bu türden dengesizliklerin olmasını doğal karşılamaları gerekiyordu.

"En son hedefim, Çin olacak, bütün dünyaya hükmetme yolunda benimle birlikte davranmanızı istiyorum. Bütün yüreğinizle ve kalbinizle."

"Bir Yahudi olarak İsrail devletine ne olacağını sormak zorundayım," dedi bakanlardan birisi.

"Eğer güç sahibiysen ne olduğunun bir önemi yoktur oğlum. Güç seninse o zaman her şey senin için bir araçtır. İsrail de bir araç ve gerekirse Yahudilik de bir araç. Yönetenler vardır, gücü elinde tutanlar. Eğer onlardan birisiysen, yönetilen ve dünyayı kavrayamayan sıradan insanlardan birisi olamazsın. O insanlarla aranda ortak bir nokta olmasını beklememelisin. Böyle düşüncelerin varsa hemen sil at onları. Yoksa bu kabinede yerin olmaz."

Bakan hemen sustu. Sir Eli sanki bir dokunuşla onu yok edecekmiş gibi kesin konuşuyordu. Aslına bakılırsa bunu yapabilirdi, bir emri ile bakan tamamen ortadan kaldırılabilirdi.

"Stillson, orduya gereken emirleri verin derhal. Harekete geçmeye hazır olsunlar. Howard Strike denen o adama söyle bu sefer işini adam gibi yapsın."

"Sir Eli emirleriniz uygulanacak, ancak bu saldırıya başlamak için bir nedene ihtiyacımız var."

"Merak etmeyin. Her şey hazırlandı."

"Peki ya Türkiye?" Bakanlardan birisi sormuştu.

"Türkiye için ayrı bir planım var. Orayı şimdilik işgal edemeyeceğimiz açıkça ortaya çıktı. İleride Başbakan olma şansı olan parlak bir politikacıyı kaçırıp kendi yöntemlerimi uygulayarak bu ülkedeki çıkarlarımı korumayı düşünüyorum. Hatta buna ilişkin çalışmaları uzun süre önce başlattım."

Sir Eli, gerçekten de ciddiydi. Her konuda nasıl oluyordu da bu kadar rahat olabiliyordu? Aslına bakılırsa, yaklaşık bir trilyon doları idare eden bir güç ağının başında olmak insanda bu türden dengesiz ama temelli davranışları ortaya çıkarabilirdi. Bu para gücü ile yapılamayacak şey yok gibiydi.

Sir Eli ayağa kalktı ve kimse ile konuşmadan odayı terk etti. Herkes şaşkınlık içindeydi. Stillson, Sir Eli'nin yerine oturup toplantıyı idare edecekti.

"Stillson, söylenecek bir şey kaldı mı, bizler burada bir hiçiz. Emirleri duydun, hemen yerine getir. Bir şey gerekirse benim imzamı taklit edersin."

Bir anda salon kahkahalara boğuldu. Stillson söylenenlerin doğru olduğunu biliyordu ama bir şey yapamazdı, Başkan gibi davranmak zorundaydı.

Sir Eli güdümündeki Stillson hükümetinin akıldışı planlarından, durum değerlendirmesi yapmak üzere bir araya geldikleri bir öğle vakti haberdar olmuşlardı Rumsfeld ve Rice. Arayan, bakanlardan birisiydi. Yıllardır Rumsfeld'i tanırdı ve onun bir anda bu kadar dışarıda bırakılmış olmasından dolayı memnun değildi. Ona toplantıda olanları anlatmıştı. Rumsfeld bunları dinlerken şaşkınlıktan küçük dilini yutacak gibi olmuştu. Duyduğu şeylere inanması güç görünüyordu. Yıllarca güç merkezli politikalar izlemişti ama hiç bu kadar kendini kaybetmiş değildi. Buna izin veremezdi. Bunları yapmaya çalışanları durdurması gerekiyordu.

Rice, yanına geldiğinde Donald'ın yüzünün sapsarı olduğunu görüp heyecanlanmış, Rumsfeld ise son haberleri Rice ile paylaşmıştı. Söylenenler ona da bir fantezi kitabının kurguları gibi görünüyordu.

Rumsfeld son birkaç ayda yaşananları gözlerinin önünden geçirip anlamlandırmaya çalışırken Rice sessizliği bozdu:

"Ne yapabiliriz Donald? Bu saçmalığa izin vermemeliyiz."

"Bilmiyorum, bu saldırı nedeniyle bütün İslam dünyası ve Hıristiyan dünyası birbirine girebilir. Üstelik Çin için de hiç iyi şeyler düşünmüyorlar. Dünyayı ateşe ve yıkıma götürecek bir süreci başlatmış görünüyorlar."

"Bu kadar deli olamazlar. Onların her zaman biraz deli olduğunu düşündüm ama bu kadar da olamaz."

"Sanırım bu sefer oluyor Condi. Hemen bir şeyler yapmalıyız."

"Ne yapabiliriz sence?"

"Bilmiyorum, Tayyip Erdoğan'ı aramayı düşünüyorum. Belki bize yardım edebilir."

"Nasıl yardım edecek? Onlar da zorlu bir süreçten geçiyor."

"Türk ordusu ileri harekâta geçer ve Rus desteği ile Amerikan ordusunu oyalarsa, o zaman planları bozulabilir. Bu arada tabii..."

"Tabii ne?"

"Sir Eli denen geri zekalı ahmağı ortadan kaldırmalıyız."

"Evet, haklısın, onu ortadan kaldırmalıyız. Yoksa bu işi sonlandırmak mümkün değil. Ama Sir Eli denen adamı yok etmek için ne yapacağız?"

"Umutsuzum ama Erdoğan'la konuşurken bu konuyu da gündeme getireceğim."

"Tamam, çok çabuk hareket etmeliyiz. Bu gidişatı durdurmak için gereken önlemleri almalıyız."

"Evet Condi, bunun için her şeyi yapmalıyız. İstihbarat örgütlerimiz delinmiş durumda. Her yerde Eli'nin adamları var. Bu zorluğun üstesinden gelmeliyiz. Ama nasıl olacak ben de bilmiyorum."

"Donald, bakarsın Türklerin bu tür durumlar için bir planı vardır. Eğer Washington'a kadar o bombayı getirip bizi havaya uçurdularsa, Sir Eli denen adamı da pekâlâ halledebilirler."

"Akla yakın gelmiyor değil. Ama önce Erdoğan'la konuşmalı ve bu kukla hükümetin Ortadoğu'yu daha fazla karıştırmasına engel olmaya çalışmalıyız."

"Peki Don, dikkatli ol, tamam mı?"

5 Ekim 2007
İstanbul

Bugün Türkiye için çok önemli bir toplantı yapılacaktı. Toplantının İstanbul'da olması da ayrıca önemliydi. Şehrin imar çalışmaları hızla sürüyordu. Dünya hızlı bir sürece girmişti. Küresel bir savaşın ayak sesleri geliyordu. Amerika buradaki çatışmayı kaybetmiş olabilirdi, ama iktidarı bir biçimde ele geçiren Stillson hükümeti, Sir Eli'nin çılgınca isteklerinin aracı olmuş görünüyordu, üstelik Metal Fırtına operasyonundan çok ders çıkarmış olan Rice ve Rumsfeld'in tüm önleme çabalarına rağmen.

Toplantı Dolmabahçe Sarayı'nda yapılıyordu. Taraflar, geniş yemek salonunda buluşacaktı. Rusya, Çin ve Hindistan'ın siyasi liderleri katılacaktı toplantıya.

Erdoğan salondaki hazırlıkları kontrol ettikten sonra konukların gelmekte olduğu uyarısı ile sarayın bahçesine çıktı ve tören alanına geldi.

Protokol gereği yapılan törenlerden sonra yemeğe geçilmiş ve en sonunda özel bir odaya kapanan liderler Türk kahvelerini içerek konuşmaya başlamışlardı. Dört lider ve çevirmenlerinden başka kimse yoktu odada.

Putin, söze girdi. İlk sözü onun almasının ardında, eski bir süper güç olarak bir şeyler söylemesi gerektiğine dair bir fikir vardı. Ne de olsa Soğuk Savaş boyunca Amerika'ya karşı koyup onunla uzun süre savaşmış bir ülkeydi.

"Sözlerime başlamadan önce, Türk topraklarının geçirdiği bu büyük badire için size geçmiş olsun diliyorum."

Erdoğan başını salladı, teşekkür ediyordu.

"Ancak Soğuk Savaş sonrası dönemin buna benzer acılar doğurması son derece normaldi. Rusya olarak bunu bekliyorduk doğrusu. Amerika'nın böyle bir politika izlemesine hiç şaşırmadık. Ancak öyle görünüyor ki, Amerika da birileri tarafından bu çılgınlığı yapması için kandırılmış. Ve sonuç, bekledikleri gibi olmadı. Ancak bu, önümüzdeki dönemin çok rahat geçeceğini düşünmemizi gerektirmiyor. Rusya olarak bunun farkındayız."

Diğer liderler Putin'i dikkatle dinliyorlardı. Milyarlarca insanı yöneten insanlar, herkesin merak ettiği kapalı kapılar ardında bölgenin kaderine yön vermeye çalışıyordu. Çok hassas bir dönemde yeni uluslararası kurumlara ihtiyaç vardı.

Çin Başbakanı Jiabao söz aldı. Putin saygıyla kendisine bıraktı sözü.

"Amerika'nın yaptıklarının farkındayız. Hatta konu ile ilgili olarak saygıdeğer Jintao'nun da fikirlerine başvurdum ve aynı sonuçları çıkardığını gördüm. Sanırım o benim de ilerimde bu konuda ve aklında çok ilginç şeyler var. Amerika'nın yakında büyük bir savaş çıkaracağını düşünüyor."

"Buna katılıyorum," dedi Hindistan Başbakanı Singh, gözlüklerinin üzerinden elindeki kâğıtlara bakarak notlarını okuyordu. "Amerikan-Hindistan ilişkilerinin iyileşiyor görünmesinin yanı sıra, kendilerinin bize daha fazla yakınlaşmaya çalıştığını müşahede ettik ve buna izin vermedik. Ancak Amerikan şirketlerinin yatırımları nedeniyle ilişkilerimizi gerginleştirmekten kaçınıyoruz. Fakat şunun bilincindeyiz, Amerika'nın bu bölgede savaşı desteklemesi ya da gerginliği artırması bizim güvenliğimizi tehlikeye düşürmektedir."

"Bu konuda haklısınız Sayın Singh," dedi Jiabao. "Amerika'nın Çin'i tehdit etmesi ve bölgesel sorunları küresel bir çatışma zeminine sürüklemesi, sadece bizim için değil tüm dünya için sorun oluşturuyor."

"Bence bizlerin yeni bir yapılanmanın temellerini atmamız şart. İpek yolunu hatırlayın, Türkiye tarihsel bağları nedeniyle bir Doğu ülkesidir ve aslına bakılırsa bugün gelinen noktada bu hat üzerindeki ülkelerin siyasi ve ekonomik işbirliği önemli bir seçenek olarak ortaya çıkıyor. Yani birbirimize bütün gücümüzle bağlanıp sadece barışı ve ekonomiyi ön plana almamız gerekliliğini."

Diğer liderler Erdoğan'ın bu sözlerini memnuniyetle karşılayıp, önlerinde duran Türk kahvelerine uzandılar.

"Siyasi olarak sınırları kolay geçilebilir hale getirmeliyiz, ancak kendi aramızdaki bölgesel sorunların hemen çözülmesi gerekiyor. Birbirimize ve kendi içimizdeki sorun kaynaklarına verilecek küçük tavizlerin büyük resim karşısında pek fazla bir önemi olduğunu sanmıyorum," dedi Putin ve devam etti. "Üstelik askeri anlamda da işbirliğine gitmeliyiz. Doğu teknolojik olarak Batı'yı neredeyse yakaladı ve biz de Rusya olarak hassas teknolojileri sizlerle paylaşmaya hazırız."

"Bu çok güzel ve yapıcı bir yaklaşım Sayın Putin. Ancak Hindistan istihbaratı pek adı duyulmasa da hayli önemli işlere imza atar. Doktora öğrencilerimiz vasıtasıyla ABD'de çok önemli bağlantılara sahibiz, zaten nükleer silahlara da bu yolla erişmiştik. Şimdi şunu size söyleyebilirim ki, Amerika Türkiye'de gerçekleştirdiği operasyonu bir adım olarak görüyordu. Ve gelen bilgiler şimdiki gayri meşru hükümetin çok hesapsız eylemlerde bulunabileceğini gösteriyor. "

"Bu çok önemli bir bilgi" dedi Jiabao, "Tewu'nun çalışmaları daha da ileri boyutlarda. Stillson ve ekibi tüm dünyadaki Kutsal Toprakları hedef listesine almış durumda."

"Bu çok ama çok kötü. Roma'dan sonra ilk kez bir ülke dünyanın uzak diyarlarındaki toplumları rahatsız etmeyi başarıyor. Tarihin bu döneminin büyük çalkantılara gebe olduğunu görüyoruz," dedi Erdoğan, sözlerinde samimiydi, ne de olsa yeni bir imparatorluk kurma girişiminin acı yanlarından birisi ile karşılaşmıştı.

"Size katılıyorum Sayın Erdoğan, bu gidişata bir dur demeliyiz. Zira artık her Doğulu, potansiyel bir düşman gözüyle görülmeye başlandı. Bu ayrım tabii Müslümanlarla Hıristiyanlar arasında yapılmaya çalışılıyor." Putin Erdoğan'ı destekleyen bir yüz ifadesi takınmıştı.

"Oysa Çin, Amerika'nın en büyük düşmanı olarak görülüyor. Ve şimdilik onları püskürtsek de, yakın zaman içinde bu odadakilerden bir başkasının yardıma ihtiyacı olabilir." Jiabao bunu söylerken gülüyordu. Aslında o yardıma ihtiyaç duyacak ülke, Çin olacaktı. Bunu herkes biliyordu.

"Bir an önce Türkiye'nin ordusu yenilenmeli ve eski gücüne kavuşmalı. Bunun için gereken neyse yapılmalı." Putin bunları söylerken Çin ve Hint liderlerine döndü. Her ikisi de başlarını salladılar.

"Öncelikle Rus silah sistemlerinden geçici bir tamamlama yapalım. Ancak çok önemli bir nokta var, o da Türkiye'nin stratejik bir ileri harekat gücüne kavuşması, bunu hemen halletmeliyiz. Türk ordusu çok kısa süreler içerisinde dünyanın değişik bölgelerine tümen büyüklüğünde bir kuvvet sağlayabilmeli. Çin ve Rus ordusunda buna benzer güçler mevcut, ancak Hint ordusunun da aynı şekilde hızlı hareket edebilen güçleri yaratması gerekiyor."

"Aslına bakılırsa bunları çok çabuk halledebiliriz. Bir başka önemli konu da bu yeni işbirliğinin finansal yapısının nasıl şekilleneceği," dedi Erdoğan. Henüz o konuya gelinmemiş olması doğru değildi, parasal konular halledildikten sonra her şey kolaylaşırdı.

"Haklısınız Sayın Erdoğan," dedi Putin. "Finansal konuları hızla çözüme kavuşturmalıyız. Bu konuda Çin'in çok önemli desteğinin olacağını düşünüyorum." Sözü Jiabao'ya verdi.

"Çin ekonomisi ihracat fazlaları nedeniyle önemli miktarda dolar biriktirdi. Ve bu dolarlar genel olarak Amerika'yı finanse etmekte kullanılıyor. Ama bunun bizim için çok riskli olduğunu da görüyorum. Amerika ile gerçekleşecek bir savaş anında sadece borçlarını ödemeyerek bile büyük bir zarar verebilirler. Savaş sonucu oluşabilecek zararları saymıyorum bile."

"Sayın Jiabao, Çin ekonomisinin hızla dışarı yatırım yapması gerekiyor. Bunu sadece ekonomik parametreler ile değerlendirmemelisiniz." Erdoğan, ticari çatışma ve rekabet döneminin geride kaldığını söylüyordu.

Çin Başbakanı bunu duyunca gözlerini kıstı ve bir süre düşündü. Şu an içinde bulundukları durumda ticari çıkarları, siyasi çıkarlarla değiş tokuş edebilirlerdi. Etmeliydiler de, her durumda en çok kârı elde etme eğilimi, genelde uzun vadede zarar getirirdi. Ekonomik çıkarın göz ardı edilmesi gereken bir an, tarihte sürekli olarak gelirdi.

"Evet, Çin'in parasal kaynakları çok büyük, ancak Amerikan merkezli finans merkezleri ile bağlantısı çok derin ve bu kaynakları hızla oradan doğuya aktarmak zor olur. Fakat, bizim iş adamlarımızın sizlerin ülkelerinizde yatırımcı olması fikrini doğru buluyorum. Her ne kadar maliyet avantajları bizde olsa da, dış yatırım yapmadığımız sürece siyasi gücümüzün sınırlı kalacağını biliyoruz. Bu nedenle Çin sermayesi hızla bu bölgelere aktarılabilir. Hatta sizin iş adamlarınız da Çin'de yatırım yapma konusunda daha avantajlı konuma getirilebilirler."

"Öncelikle bu dört ülke arasında gümrüklerin ufak detayları düzenlenerek en aza indirgenmesi ve ticaretin hızla artırılması şart," dedi Hindistan Başbakanı Singh. "Ondan sonra Pakistan ve diğer ülkeler de bu birliğin içinde yerlerini alabilirler."

Toplantı iyi gidiyordu. Türkiye'nin bor yataklarının kullanımı ile ilgili teknik detaylar araştırıldı. Avrupa'nın bu toplantıda olmamasının nedeni, Erdoğan'la aralarındaki anlaşmaya rağmen Türkiye'nin Avrupa Birliği'ne alınması konusunda hiçbir açıklama yapmamış olmalarıydı. Avrupa yine ortak irade gösterememişti. Bor mineralleri, Türkiye'yi oksijen yakıtının üssü haline getirecekti ve bu merkez üssünü kullanmak, hem Çin hem de Rusya için büyük önem taşıyordu. Özellikle Amerika'nın Ortadoğu'da tam hegemonya kurmuş olması, enerji önceliklerini değiştiriyordu dünyanın. Otomobillerde hidrojene hızlı geçiş yapmak, savaş araç gereçlerinin petrol kaynaklarına yönlenmesini sağlayacaktı. Bu büyük bir değişimdi.

Toplantı sona erdiğinde liderler hep beraber salon dışına çıkıp gazetecilere poz verdiler. Rusya Türkiye'ye büyük nakliye uçakları ve pek çok silah sistemi vermeyi kabul etmişti. İlk etapta ordunun gereksinimleri hızla tamamlanırken Çin'den gelecek olan taze sermaye, bankacılık sisteminin ayağa kaldırılması için kullanılacaktı. Hindistan, Rusya ve Çin, Türk mallarına uzun bir süre uygulanacak olan sıfır gümrük vergisini hayata geçirmeye söz vermişti.

Doğuda yeni bir işbirliğinin hızla hayata geçirilmesi ve diğer ülkeleri içine almak üzere yapılandırılması gerekiyordu.

Tayyip Erdoğan, danışmanlarının 'acil telefon var' çağrısına şaşırmamıştı. Her an bir şeylerin olmasını bekliyordu. Ama telefondaki kişinin yakın zaman önce ülkesini işgale kalkışan ülkenin üst düzey yöneticisi olduğunu öğrendiğinde küçük dilini yutacaktı.

"Sizi telefonda da olsa duymak çok ilginç Bay Rumsfeld. Bana ne diyeceğinizi çok merak ediyorum. Savaş sona erdi ve ordunuz tamamen çekildi. Artık ilişki kurmak için biraz zaman geçmesini beklememiz gerekiyor sanırım."

"Sayın Erdoğan, haklısınız ama size söylemem gereken çok önemli bazı şeyler var. İnanın, duygularımızı tamamen bir kenara bırakmak zorundayız."

"Duygularımızı bir kenara bırakmak konusunda sizin kadar başarılı olabileceğimi sanmıyorum Bay Rumsfeld. Ancak sizi dinlemeye devam edeceğim. Bu panik halindeki ses tonunun sonunda bana ne söyleyeceğinizi merak ettim doğrusu."

"Çok teşekkür ederim Sayın Erdoğan. Ancak meydana gelen bazı gelişmeler çok kötü. Washington'da patlayan nükleer silah, gizli bir darbeye neden oldu. Hükümete kimsenin tanımadığı insanlar geldi ve bu insanları yöneten birisi var. Şimdiye kadar hep perde arkasında kalıp devlete dışardan destek vermişti. Doğrusunu söylemek gerekirse pek çok pis işimizi yapan adam da oydu. İnanılmaz bir teşkilatı var, dünya çapında bir teşkilat."

"Sayın Rumsfeld, bu gizli bilgilerinizi bana açma nedeninizi anlamış değilim. ABD'nin nasıl bir yapısı olduğunu yakın zaman içinde gördük."

"Erdoğan, o hiçbir şeydi. Büyük bir dünya savaşını başlatmaya çalışıyorlar. Bütün Ortadoğu'yu, Kutsal Toprakları, Kudüs'ü, İsrail'i her yeri yerle bir edecekler ve bölge halklarını tamamen kendilerine bağlayacak bir yöntem üzerinde çalışıyorlar."

"Bu düşüncelerinizin ne kadar aşırı olduğunun sanırım siz de farkındasınızdır."

"Onları tanıyorum, bunu yapmayı deneyecekler. Ancak şanslıyız ki hâlâ aklı başında düşünebilen birileri var. Ve sizden yardım istiyoruz. O bölgede güvenebileceğimiz tek ülke Türkiye."

"Her şeye rağmen..."

"Evet, her şeye rağmen. Bütün yanlışlarımıza rağmen."

"Bunu anlamış olmanıza sevindim. Aslında haklısınız, hâlâ bana güvenebilirsiniz. Türkiye'nin adil bir imparatorluğun mirası olduğunu bildiğinizi görüyorum ve bu açıdan da şanslısınız."

"Bunu biliyorum Sayın Erdoğan, gerçekten biliyorum. Ancak emekliliğimde dünyanın mahvolmasını sağlayan insan psikolojisi ile yaşamak istemiyorum. Bunların önünü açtım ama buna devam etmelerine izin vermeyeceğim."

"Peki benden ne yapmamı istiyorsunuz?"

"Siz Washington'da bomba patlatabildiniz ve Adrian Lynam denen adamı yakalayıp yok ettiniz. Yıllarca düşünsem bu aklıma gelmezdi ama Sir Eli denen adamı ortadan kaldırmanızı istiyorum. Ben onun planlarını engellemeye çalışacağım ama bu sizin yardımınız olmadan imkânsız."

"Çok garip bir şeyden bahsediyorsunuz ama şaşırmadım. Haksızlık yapanların düşeceği duruma düştünüz."

"Haklısınız ama sizden şunu duymak istiyorum. Bana yardım edecek misiniz?"

"Bay Rumsfeld, dünyanın iyiliği için size yardım edeceğiz ve o Sir Eli denen adamı etkisiz hale getireceğiz. Yalnız size bir şey sormak istiyorum. Çalışma arkadaşım Abdullah Gül ve bürokratlar ortadan kayboldular. Onların Washington'da olmadığına ve götürüldüklerine dair bilgiler vardı. Bize onları geri vermenizi istiyorum."

"Sayın Erdoğan, çok teşekkür ederim. Gül ve ekibinin kaybolması konusunu araştırmam gerekiyor. Ancak eğer bunun altından da Sir Eli çıkmazsa şaşarım. Bence aynı yolda ilerlersek kendilerine ulaşabiliriz."

Telefon kapandığında Erdoğan derin düşüncelere dalmıştı. Bu topraklarda yaşamak çok zordu. Asla bitmeyen bir mücadele gibi. Bunu zamanında fark ettiği için mutluydu doğrusu.

14 Ekim 2007

İran Hava Kuvvetlerine bağlı savaş uçakları, yerden alçak mesafede uçarak Suudi hava sahasına girmeye başlamışlardı. Amerikan ordusu bu saldırıya genel olarak hazır değildi. Beklemiyorlardı. Aslında özel bir deniz görev gücü, İran kıyı bataryalarını füze atışları ile yok etmişti ve bu hareketin İran'ı tahrik edeceği kesindi. Her nedense, bu saldırıdan haberdar olmayan ordunun geri kalan kısmı, bir anda tuzağa düşmüş gibiydi. Nasıl bir ortamda savaştıklarını bilmiyorlardı.

Metal Fırtına operasyonu sonrasında Amerika'da çok şey değişmiş, yıllardır resmi kurumlara nüfuz etmek için elinden geleni yapan Sir Eli'nin liderliğindeki bir örgüt olağanüstü yollarla iktidar olmuştu. Kutsal Topraklara yapılan saldırı esnasında da Sir Eli ile gerekli temaslar kurulmuş ve büyük bir medya operasyonu başlatılmıştı. Bu medya operasyonu sayesinde Amerikan kamuoyundaki savaş karşıtlığı neredeyse sıfıra düşmüştü. İran'ın da denkleme dahil olması sayesinde Stillson hükümeti için neredeyse savaşın sınırı kalmamıştı.

Radar uçaklarının ekranlarında yavaş yavaş İran savaş

uçakları belirmeye başlamıştı. Hemen tüm hava saldırı birimlerine gereken emirler ulaştırıldı. İran savaş uçakları bir hayli yaklaşmıştı. Suudi jetlerinin bazılarının da havalanabildiği görülüyordu. Şimdi belli sayıda savunma yapan savaş uçağı, Amerikan uçaklarına karşı mukavemet göstermekteydi. Telsizlerden duyulan feryatlar, Amerikan hava kuvvetlerinin zorlandığını gösteriyordu. Türkiye ile meydana gelen çatışma sonrasında koordinasyon azalmıştı ve eski moral düzeyine erişmek zor olacak gibi görünüyordu.

"İran uçakları ile çatışmaya giriyoruz. Çok yakınlar."

"Kahretsin, buraya kadar nasıl geldiler?"

"Bırakın ağlamayı, Iraklılarla savaşmak kolaydı. Erkekseniz İranlıları haklayın bakalım."

"Bu adamlar çok zorlu. Hey şu manevralara baksanıza!"

"Bana Mig-29'un manevrasından bahsetme. Vurun onları."

"Mig'leri çok geliştirmişler."

"Kahretsin, bana biri kilitlendi. Bulun bana kilitlenen Allah'ın belasını."

Gökyüzünü yaran bir füze, Amerikan savaş uçağını havada parçaladı. Pilot atlayacak zaman bulamamıştı.

"Hey, bu İranlılar da ne yapıyor? Tanrım, bir uçağımız vuruldu."

"Görüş ötesi füzeleri var. Mig'leri geliştirmişler."

"F-15'ler yolda. Onlar gelmeden sakın dalaşmayın."

"Dalaştım bile, bir tanesinin peşindeyim."

Amerikan uçağı gökyüzünde tehlikeli bir it dalaşına girişmişti. Suudi halkı nerden geldiği belli olmayan diğer savaş uçaklarının Amerikan uçakları ile savaşmasını seyrediyordu. Gözlerinin önünde henüz nedenini kavrayamadıkları bir çatışma meydana geliyordu, bütün bunların bir felakete dönüşmesinden korkuyorlardı. Gözleri her an çölleri saran ufuk çizgisindeydi. Sınırlarının az ötesinde yüz binlerce Amerikan askeri olduğunu biliyorlardı.

İran Hava Kuvvetleri aynı anda pek çok havaalanından kalkmıştı. Hedefleri, Körfez'deki tüm Amerikan güçleriydi. Bunu ne kadar başarabilecekleri konusunda şüpheleri vardı, ama mümkünse Körfez'deki tüm Amerikan askeri varlığını ortadan kaldırmak ya da yaşayamaz hale getirmek istiyorlardı.

Bu, bir kerede halledilmesi gereken bir işti. Eğer ilk sürpriz saldırıda bu işi başaramazlarsa o zaman Amerikan ordusu bütün gücüyle İran'a yüklenirdi ve saldırıya uğrayan taraf oldukları için nükleer silah kullanabilirlerdi.

İran'ın uzun süre önce satın alıp işletme başarısı gösterdiği F-14 filosu, gemisavar füzeleri takılı olduğu halde Körfez'e doğru yaklaşıyordu. Denize değme mesafesinde uçuyorlardı. Tehlikeli manevralarla Amerikan hava savunmasına yakalanmamaya çalışıyorlardı, ama bu bir yere kadar mümkündü. USS Lincoln firkateyni ve USS Roosevelt destroyerinden oluşan ikili kol, Körfez'in İran'a yakın sularında tam da bu tür bir saldırının uçak gemilerine ulaşmasını engellemek için erken uyarı amacıyla seyretmekteydi.

İran uçaklarını tespit ettiklerinde savaş manevrası yapmalarına gerek kalmadı. Uçaksavar füzelerini ardı ardına ateşlediler. Ayrıca Phalanx makineli döner topları, bir anda Körfez gökyüzünü havai fişek gösterisinin yapıldığı bir alana çevirdi.

F-14'lerse sert manevralarla Amerikan savaş gemilerinin ateşinden kurtulmaya çalışırken birkaç kayıp verdi. Uçakların binlerce parçası denize gömülürken ateşten kurtulan bir F-14, son hızla USS Lincoln'e tam ortasından çarparak kamikaze dalışı gerçekleştirdi. Dalışı yaparken top ateşi de açmıştı ve bu darbe, savaş gemisinin iskeletinin tam ortadan kırılmasına yol açmıştı. Destroyerse hızla çekilme manevrası yapmaya çalışıyordu. Çok sayıda uçakla uğraşamayacağını anlamıştı. İmdat çağrılarına cevap gelmemişti. Amerikan uçakları, Suudi hava sahası üzerindeki direnişi tamamen bitirmeye uğraşıyorlardı.

Destroyerin hızlı manevrası sonuç getirmedi. Gökyüzünü

delerek gelen bir silkworm füzesi, kaptan köşküne yakın bir yerden gemiye isabet etti. Gemi yanmaya başlamıştı. Amerikalı denizciler kendilerini suya atarak hayatta kalmaya çalışıyorlardı. Bir süre sonra gemide patlamalar meydana geldi. Dakikalar sonra ise gemi, yavaş yavaş sulara gömülmeye başladı. Denizin üzeri enkaz artıkları ve denizci bedenleri ile dolmuştu.

İranlı pilotlar enkaz çevresinde turlar atarak başka bir gemi olup olmadığını kontrol ediyordu. Etrafta bir denizaltı olma ihtimalinden bahsedilmişti ve bu çok önemli bir bilgiydi. Körfez sularında gerçekleşecek bir çatışma hızlı ve amansız olmalıydı.

Bir İran jeti havada tur attı ve denizcilerin toplandığı enkaz çevresine doğru dalışa geçerek ateş açtı. Onlarca mermi, enkazın çevresindeki metal parçalara çarparak patladı. Deniz yüzeyinde kalmaya çalışan denizcilerin pek çoğu bu ateş nedeniyle hayatını kaybetti. Bazıları da güçlerinin son aşamasındaydılar ve umutlarını yitirerek kendilerini suya doğru bıraktılar.

Jetler tam son manevrayı yapıp bölgeyi terk edecekken tek başına enkaz bölgesine doğru yaklaşan bir MH-53 taşıma helikopterinin yaklaştığını fark ettiler. Amerikalılar cesurca bir girişimde bulunmuş ve enkazdan mümkün olduğunca çok insan kurtarmak için bir helikopter yollamışlardı. Düşman uçaklarının bölgede olmasını hiç umursamamışlardı. İranlı saldırı filosunun komutanı, bu hareket karşısında duygulandı. Ancak yapabileceği bir şey yoktu. Bir helikopterin orada kendilerini hiçe sayarak dolaşmasına izin veremezdi. Kurtarma helikopteri bile olsa. Keskin bir dönüş yaptı ve helikopterin üzerine yöneltti uçağı. Helikopter bunun farkına varmıştı ama kaçmak için bir çaba göstermiyordu. Kaçamayacağını biliyordu ve İran uçağının kendisine ateş açmayacağını düşünüyordu.

İran F-14'ü helikopteri hedef sisteminde belirledi ve birkaç el ateş etti. Havada dağınık bir şekilde uçuşan mermiler hedefin rotor pallerini parçaladı ve külçe gibi enkazın içine düşmesine neden oldu.

14 Ekim 2007
Kuveyt

Kuveyt'teki merkez, gemilere yapılan ani saldırı nedeniyle karışmıştı.

"İran Hava Kuvvetleri iki gemimizi batırdı. Tekrar ediyorum. Bölgede görülen tüm İran savaş uçakları derhal düşürülecek. Üstelik gemilere yardıma giden bir helikopterimiz de düşürüldü. Dikkat!! Bölgede havalanan tüm savaş uçakları düşürülecek. Hiçbir şekilde uyarı yapılmamalı. Bölgeyi kapalı alan ilan edin ve tam anlamıyla topyekun savaş kurallarını uygulayın."

Körfez üzerindeki savaş uçaklarının pilotları bir garip olmuşlardı. Ne yaptıklarını bilmeden bir çılgınlığın içine doğru sürüklenmeye başladıklarını hissedebiliyorlardı. Kaos her yanlarını sarıyordu. Suudi havaalanlarına saldırmaktayken bir başka devletin savaş uçakları tarafından saldırıya uğramışlardı. Tüm askerlerin içinde, şeytani bir döngüyü başlattıklarına dair yoğun bir his vardı. Bütün bölge savaşa doğru gidiyordu, yoksa çatışma bölge ile sınırlı kalmayacak mıydı? Bir anda herkesin içini bir karamsarlık kapladı. Nereye kadar savaşacaklardı? Her zaman hissettikleri kendine güven duygusu kaybolmaya başlamıştı. Artık her yerden bir düşman çıkabilirdi, kimsenin dost olmadığı bir coğrafyada yaşama umutlarının kaybolduğunu sezip, kendilerinin birileri tarafından gözden çıkarılıp çıkarılmadığını anlamaya çalışıyorlardı. O ortam içinde bu konular üzerinde düşünmek imkânsızdı. Düşünmek demek, son demek anlamına gelebilirdi.

Derhal Florida ile bağlantı kuruldu. İran saldırısı ile ilgili yorum bekleniyordu. Genelkurmay Başkanı Howard Strike, bu saldırının olmaması için dua etmişti ama belli ki duaları kabul olunacak tarafta değildi.

Stillson hükümetinin İran'ı ilk sıraya koyduğu biliniyordu. Uzun zamandan beri bu fırsatı bekliyorlardı ve Amerikan tehdidini zaten çok yakınında hisseden İran, kıyı bataryalarının nedensiz yere vurulmasından sonra sert bir harekâta girişmiş ve uluslararası kamuoyu önünde kendisini haksız düşürecek konuma gelmişti. Amerika'nın Suudi krallığına yaptığı saldırı için bahane bulması zor değildi. Aynı şeyi İran için de yapmasına gerek kalmayacaktı.

Strike daha da zor durumda kalmıştı. Şimdi generallerin ve hükümetin baskısı daha da artmıştı. Bir an önce Suudilerin işini bitirip Tahran'a yürümeleri için baskı başlayacaktı. Ne yazık ki Suudilerin fazla direnmesi mümkün görünmüyordu. Kraliyet ailesi ne yapacağını şaşırmıştı, prenslerden bazıları Amerikalılar tarafından esir alınmıştı.

"İran Hava Kuvvetleri tekrar saldırmadıkça saldırmayın. Şu anda onlarla uğraşamayız. Önce Suudi işini bitirmemiz gerekiyor. Ordunun dikkatini dağıtmayalım, zaten hassas bir denge üzerindeyiz. İp cambazlığı, bu yaptığımız bir bakıma."

Strike'ın çevresindeki generaller onun kuşkulu hareketler yaptığını düşünüyorlardı. İşi bu kadar ağırdan almasına anlam veremiyorlardı ana bazıları bunun nedenini biliyor gibi davranıyordu.

"Sayın Strike, eğer bu bölgedeki hakimiyet savaşını kazanmak istiyorsak acele etmeliyiz. Dünya çok fazla gerilmiş durumda. Ortadoğu'nun büyük bir savaşa zemin yaratması kaçınılmaz. Dünya savaşına doğru gidiyoruz."

"Öyleyse adımlarımızı düşünerek atmalıyız, değil mi? Çılgın gibi her ülkeye aynı anda saldırmamızı mı bekliyorsunuz? Bu saçmalık olur."

"Komutanım, göreve devam edebileceğinizden emin misiniz? Zira Türkiye ile olan çatışma nedeniyle hayli yıprandınız."

"Bana bakın, bu görevi bu odadaki herkesten iyi yapacağıma şüphe yok. Savaş bir düşünme sanatıdır. Kabadayılık değildir, gücünüz var diye her yere saldırırsanız bu sonunuz olur."

"Ben sadece sordum efendim. Stillson hükümeti bir an önce bölgedeki tüm kutsal merkezlerin ele geçirilmesini istiyor. Bunu neden özellikle istediklerini anlamış değiliz, ancak psikolojik bir nedeni olmalı."

"Stratejik bir nedeni olmadığı kesin. Bilmiyorum ama bu taleplerinde bir çılgınlık seziyorum. İstanbul'un Metal Fırtına'da hedef olması gibi bir şey."

"Biz askeriz efendim, sadece verilen emirleri yerine getiririz."

"Bana bakın general, asker olmak demek, aptal olmak demek değildir. Her asker bir stratejisttir aslında ve olmalıdır da. Bu saçma düşünceleri bırakın artık. Asker de politikanın içindedir ve her şeyi sorgulamaya hakkı olmalıdır."

General sustu ama bu, diğer komutanların Strike'ın garip davranışlarını fark etmediği anlamına gelmiyordu. Bir gariplik sezinliyorlardı ama hepsi de profesyonel askerler olarak son ana kadar bu davranış biçimlerini koruyacak gibi duruyorlardı.

"Komutanım, bazı istihbari bilgiler var. Rus kuvvetlerinin hareketlendiği ve hızlı manevralar gerçekleştirdiği yönünde. Üstelik öyle görünüyor ki tüm saldırılarımıza rağmen Türk ordusu halen belli bir savaş gücüne sahip ve bu manevralarda yer alıyor."

"Bu çok iyi bir haber değil, ama Rusya'nın bölgeye karışabileceğini sanmıyorum. Bu onlar için çok da iyi bir durum yaratmaz."

"Bizim için de tabii."

Bu sırada odaya haberci girdi. Elinde kırmızı bir telefon vardı.

"Komutanım, Başkan telefonda."

Strike bu sözü ne zaman duysa midesi bulanmaya başlıyordu. Kendisini zorluyordu bu işe devam etmek için, dünyanın geleceği için önemliydi bunu. Devam etmek zorundaydı. Eğer işi bırakırsa başka kimse bu bilinçle hareket etmezdi. Metal Fırtına'nın bütün pisliklerini yaşamıştı. Bunlardan öğrendiği çok şey olmuştu ve bir daha bunun olmasına izin vermemek için elinden geleni yapacaktı.

Başkan Stillson telefonun öbür ucunda öfkeden kuduruyordu:

"Strike, İran saldırısına karşı bir şey yapmayı düşünmüyor musun? Hep beklediğimiz fırsatı bize verdiler. Hâlâ ne bekliyoruz?"

"Bu fırsatı vermemeleri için nedenleri biz hazırladık efendim. Mantıklı bir şekilde hareket etmiyoruz. Bölgeye karşı topyekun bir saldırı başlattık. Artık herkesin bize saldırma hakkı var ve bunu herkesin kullanmasından korkuyorum."

"Bunu engelleyeceksin. Artık mantıklı davranmak yok. Zaman, savaş zamanı! Dünyanın diğer büyük güçleri harekete geçmeden işini hallet."

"Bunu nasıl yapmamı istiyorsunuz?"

"İran'ın bütün yeraltı sığınaklarına karşı nükleer silahlarla saldırın!"

Howard Strike'ın bedeni titredi. Bu emri vereceklerini ve aslına bakılırsa ucuz yollu olarak bölgeyi ele geçirmek için her şeyi yapmayı göze alacaklarını biliyordu.

"Sayın Başkan, bu korkunç bir olay. Bence böyle bir kararı almak için Amerika'da seçimlerin yapılması gerekiyor."

Telefonda sessizlik oldu. Stillson buna inanmıyor olmalıydı.

"General Strike, siz yoksa benim Başkanlığımı mı sorguluyorsunuz?"

Strike o an hata yaptığını anladı. Eğer Stillson isterse onu hemen görevden alırdı ve bu da Strike ve yandaşlarının hesaplarının sonu anlamına gelebilirdi.

"Sayın Başkan, kamuoyunun baskısı açısından..."

"Kes... Senden sadece verilen görevi yerine getirmeni istiyorum. Başka bir şey değil ve yorum da yapma sakın. Yoksa şu anda aklından geçenlerin gerçeğe dönüşmesini sağlarım."

Bu adam hasta olmalı, aklımdan geçenleri okudu sanki, diye düşündü Strike.

"Sayın Başkan, İran'a karşı nükleer silahlar kullanılacak efendim."

Toplantıdaki generaller telefon konuşmasının son cümlelerini duyunca birbirlerine baktılar. Bu kadar keskin bir karşılığın hemen verileceğini düşünmemişlerdi. Sanki Stillson hükümeti bir şeyleri hızlandırmak ve bir an önce bir şeyleri bitirmek için uğraşıyor gibiydi.

"Beyler, İran'daki yeraltı sığınaklarına ve nükleer santrallere nükleer saldırıları başlatın. Ayrıca güçlü İran tümenlerine taktik nükleer silahlarla saldırabilirsiniz. Çok dikkatli olun, saldırıların bölgeyi etkilememesi gerekiyor. Ancak buna pek imkân yok sanırım."

"Kendi askerlerimiz de tehlikeye girebilir."

"Saldırıyı sadece yeraltındaki gizli sığınaklara karşı yapalım, yerüstü hedeflerini vurmayalım. Yoksa çok can kaybına yol açar."

Strike bir an düşündü. Generaller, mantıksızlık arttıkça daha mantıklı davranmaya başlamışlardı. Az önce kendisini eleştirdikleri zamanki durumda değillerdi. Bu iyiydi. Belki bu hastalıklı kabineye karşı bir şeyler yapabilirlerdi. İstemese de nükleer bir saldırının emrini vermek zorundaydı. En azından bir nükleer tesise saldırmak zorundaydılar. Havaalanları ve diğer hedeflere hava saldırıları da yapılmalıydı. Ancak bu planlamaların, en üst düzeyde kayba sebep olması gerekiyordu. Bu nedenle, işi çok cesur hava saldırılarından yana olan bir generale havale etmeliydi.

15 Ekim 2007
Irak hava sahası

Dağlık alandaki köylüler neredeyse yere değecek gibi uçan jetlerin gürültüsü nedeniyle kulaklarının sağır olacağını düşündü. Ardı ardına yirmi dört savaş uçağı, kanat altları silahlarla dolu olarak geçmişti.

Pilot Yüzbaşı Akın Volkan, uçağa alışmaya çalışıyordu ama uçak beklediğinden çok daha uyumluydu. Bir Rus savaş uçağını daha önce hiç kullanmamıştı. Ancak Hava Kuvvetlerinde komşu ülkelerin uçakları ile ilgili gizli bir eğitimden geçmişlerdi. Her ihtimale karşı yapılan bu hazırlık sayesinde şimdi Rus pilotları ile ortak bir operasyon düzenleyebiliyorlardı. Amerikan saldırısının başında alınan bir kararla, bazı Türk pilotları karayoluyla Rusya'ya geçirilmişti. Bu operasyon yapılırken Kafkaslardaki Türkler ilk kez Ruslarla ortak bir harekât düzenlemişti ve bu sayede iki taraf arasındaki sorunların çözümü için bir adım atılmıştı.

Yüzbaşı Akın ve diğer on bir Türk pilotu Rus Su-27'leriyle birkaç günlük bir eğitim yaptıktan sonra Gürcistan'daki Rus Hava Üssü'ne gelmişlerdi. On iki savaş uçağına yardımcı olmak için on iki Rus Mig-31'i Rus pilotlarıyla Türklere katılmıştı.

Yirmi dört savaş uçağı alçaktan uçarak Azerbaycan üzerinden Irak hava sahasına girdi. Irak'ın savunmasını yapan Amerikan kuvvetleri, bu savunmanın bir bölümünü Iraklılara devretmişti ve bu da pilotların işini kolaylaştırıyordu doğrusu.

İkili kol halinde uçuyorlardı, Türk pilotları uçaklara iyice alışmak için zaman zaman havada manevralar yapıyordu. Şu aşamada Türk hava sahasını ve elde kalan Türk F-16'larını kullanmak çok sorun yaratırdı. Amerikan uçaklarının F-16'lara karşı her türlü önlemi çok önceden aldığı belli olmuştu. Türkiye, acılı bir savaştan yeni çıkmış olmasına rağmen Ortadoğu'daki tarihsel sorumluluğunu almak zorunda kalmıştı. Bu çok gizli bir görevdi. Rusya da bütün riskleri göze alarak Amerika'nın Ortadoğu saldırısına müdahalede bulunmaya karar vermişti. Eğer büyük bir savaş çıkacaksa bunu önceden şekillendirmek daha mantıklıydı.

Amerikan 1.Tank Tümeni, Sir Eli'nin çetesi tarafından kurulan hükümetin emriyle Kutsal Topraklara doğru harekete geçmişti. Bu operasyonun durdurulması için zamana ihtiyaç vardı. Bu zamanı kazanmak için de Irak hava sahasında Rusların yapacağı bir operasyon gerekliydi. Bu durum kafaları karıştırır, belki bir kriz çıkartır ama mutlaka o bölgede savunma tertibatı alınmasını sağlardı. Üstelik operasyonun durdurulması için Türkiye ve Rusya'ya bilgi verip Amerikalı yetkililerin kendi ülkelerinde durumu kontrol altına alması için de zaman yaratılırdı.

Amerikan askerleri çok şaşıracaklardı. Böyle bir saldırıyı bekliyor olamazlardı. Oysa istihbarat, hiç beklemedikleri kadar üst düzeyden geliyordu.

Amerikan radar uçaklarının menzili dışından hava sahasına giriyordu uçaklar. Hepsi de tamamen uçaksavar füzelerle donatılmış haldeydi. Amerikan Hava Kuvvetlerine havada darbe vuramazlarsa çekilme harekâtı çok acılı olabilirdi.

"Türk kolundan Rus koluna, alçak irtifanın faydalı sahasından çıkmak üzereyiz. Bir dakika sonra savaş pozisyonunda olacağız."

"Anlaşıldı, komutan sizsiniz." Rus pilot Üsteğmen Sergei Farayev bunu gülerek söylemişti.

Yüzbaşı Akın uçağın camından bütün dünya pilotları için anlaşıldı ve olumlu anlamına gelen sağ baş parmağını kaldırma hareketi ile karşılık verdi.

Uçaklar yere o kadar yakın uçuyorlardı ki, üzerlerinden geçtikleri köylerdeki insanları ve korku ile kaçışmalarını görebiliyorlardı. İnsanlar, Rus ve Amerikan uçaklarını ayırt edemedikleri için saldırıya uğradıklarını düşünüyorlardı.

Bir süre sonra yükselmeye başladılar. Yüzbaşı Akın'ın radar ekranında ilk işaretler yanıp sönüyordu.

"Ruski1'e, Amerikan helikopterleri tespit ettim."

"Anlaşıldı, ekranda görüyoruz. Onaylandı."

"Bunlar Apacheler."

"Evet, doğru. Apacheler, hem de korumaları olmadan havadalar."

"Dört Apache saat 9 yönünde."

"Anlaşıldı. İki uçağı onlara yönlendiriyorum."

Bu konuşmaların ardından savaş uçakları Amerikan Apachelerine yöneldi. Onları isteseler füzelerle çok uzak mesafelerden vurabilirlerdi ama füzeleri uçaklara saklıyorlardı. Helikopterleri makineli toplarıyla da halledebilirlerdi.

Saniyeler sonra çok yükseklerden aşağıya doğru dik bir dalış manevrası gerçekleştirmekteydiler. Apacheler durumun farkına varmış ve büyük ihtimalle yardım istemişlerdi ama onlar için artık çok geçti. Su-27 uçaklarını kullanan Türk pilotları, önlerindeki baş üstü göstergesinde nişanladıkları iki Apache'yi makineli toplarla taradı. Küçük ekranda kıvılcımları ve ardından meydana gelen patlamaları gördüler.

"İkisi indi, ikisi indi."

"Türko1, iki Amerikan kuşu yerde, paramparça oldular."

"Anlaşıldı. Diğerlerini de indirin."

Helikopterler canlarını kurtarmak için inanılmaz manevralar

yapıyordu. Türk pilotları Amerikalı pilotların ustaca ama umutsuz manevralarına saygı duydular. Şimdi bir düşmandan ziyade, hayatta kalmak için çırpınan insanlardı onlar.

Savaşın acı kuralı uygulandı. Yanlış zamanda yanlış yerdeyseniz eğer, kim olduğunuza bakılmazdı.

Yırtıcı Rus kuşlarının makineli topları yine ateşlendi. Havada açılı bir yol izleyen mermiler, hem yere hem de helikopterlerin gövdelerine doğru yağdı.

Biraz sonra yarı ağaçlık alanda yangın çıkmıştı. Amerikan 1. Süvari Tümeninin helikopterleri alevler içinde erimeye başlamıştı.

İki uçak geldikleri gibi hızla ana uçuş koluna yetişti. Yüzbaşı Akın selamladı onları. Artık tehlikeli anlar başlamıştı. Amerikan Hava Kuvvetleri onların nerede olduğunu tespit etmiş olmalıydı. Ancak geri çekilmekte oldukları için yeterince organize cevap veremeyebilirlerdi. Bu da onların sonu olurdu.

Bu sırada yerde hareket etmekte olan bir tank kolu gördüler. Yirmi, yirmi beş kadar tank ve zırhlı araç, kıvrılan bir yolda tozu toprağı birbirine katarak ilerliyordu. Bunun geri çekilmekte olan bir Amerikan kolu olduğunu hemen anladılar. Üstelik bir yerleşim yerine doğru hareket ediyordu.

Yüzbaşı Akın bu hedefin mutlaka vurulması gerektiğini biliyordu. Hemen Rus pilotların komutanı ile konuştu. Rus pilot yakıt durumunun ancak birkaç dakikalık bir saldırıya izin verdiğini söyleyince saldırı kararı aldı.

"Tüm uçaklar tank koluna makineli top saldırısı düzenleyecek. Sadece bir hakkınız var. Bu hakkınızı iyi kullanın. En azından onların hareketini durduralım. Belki de operasyonları için önemli bir askeri birimdir."

"Anlaşıldı."

"Anlaşıldı, mutabıkız."

Türk pilotlarının kullandığı Su-27'ler ani manevralarla yükselip dik saldırı pozisyonunda Amerikan Kara Kuvvetleri koluna saldırıya geçti. Rus uçakları da bölgeyi terk etmemişti henüz. Onlar da geniş bir alanda kavis çizerek Türk pilotların ardından sıraya girdi.

Amerikan tank kolunun bir şeylerin ters gittiğini anlaması için Türk pilotların kullandığı Su-27'lerden ilkinin, kolun en önündeki M-1A1 Abrams tankını parçalayana kadar makineli top ateşine tutması gerekmişti.

Öndeki tankın alev alıp havaya uçması nedeniyle yol kapanmıştı. Tanklar ve zırhlılar yolun dışına dağılarak canlarını kurtarmaya çalışıyorlardı.

Rus savaş uçakları ardı ardına zırhlı kola saldırıyor, her seferinde bir araç ya yanmaya başlıyor ya da tamamen infilak ediyordu. Beş dakika sonra nerdeyse bütün araçlar geniş arazide kararmış gövdeleri ile dağınık halde kalmıştı. Bir daha hareket etmelerine imkân yoktu. İçlerinden çıkan yaralı Amerikan askerleri de kendilerine bir kaya kovuğu bulup canlarını kurtarmaya bakıyordu.

"Hava saldırı kolu toparlansın! Radarda Amerikan savaş uçakları görüldü."

Bir anda pilotlar gerildi. Ciddi bir çatışmaya gireceklerine şüphe yoktu. Rus ve Türk pilotlar bir arada hareket ediyordu. Bütün uçaklar birbirini kollayacak şekilde kol uçuşuna geçti.

"Onları görebiliyorum, onları görebiliyorum" diye bağırdı Türk pilotlardan birisi. Ufuk çizgisinin de ötesinde siyah noktaları herkes fark etmişti.

Telsizlerden bağırtılar gelmeye başladı:

"F-16'ya kilitlendim. Radar kontağı tamam, ateş ediyorum."

Rus savaş uçakları Amerikan F-16'larının yetersiz ekipmanları nedeniyle üstün konumdaydı.

İlk AA-12 füzesi Su-27'den ayrılıp kavisli bir rotada giderek F-16'ya yaklaştı ve onu tam motorundan vurdu. Uçak havada infilak ederken pilotun açılan paraşütü herkesin rahat nefes almasını sağladı. Pilotların birbirlerini öldürmek için asla özel nedenleri olmazdı.

Tam bu sırada telsizlerden yükselen bir bağırtı ve hemen arkasından Rus Mig-31'lerinden birisinin portakal topu haline dönüşmesi ardı ardına geldi.

"Kahretsin, bu da ne böyle?"

"Yardım geliyor olmalı, ufuk ötesi radar sistemi ile atış yaptılar. Bu bir Amraam. Herkes arkasını kollasın."

Uçaklar dağılarak bulutların üzerine çıkıp tekrar altına indiler. Radarlarıyla Amerikan uçaklarını aradılar ve bazıları buldu da. F-15'ler hayli uzak mesafelerden atışa devam ediyordu. İki Rus pilot ve bir Türk pilot da füzelerin hedefi olmuştu. Savaş kızışıyordu.

Yüzbaşı Akın gruptan ayrılıp hızla düşük irtifaya indi. Bir süre o şekilde uçtu ve Amerikan uçaklarını görür görmez seri bir tırmanışa geçti. Bedeni çok yüksek G manevralarıyla sarsılıyordu. Amerikan uçakları onu görmüştü ama Akın, çoktan bir F-15'i yakalamıştı.

F-15 yakalandığını anlayınca hızla yükselmeye başladı, Yüzbaşı Akın da onun peşinden. Rus Su-27'si eski olmasına rağmen çok iyi performans gösteriyordu. F-15, rakibini G kuvvetine sokup onun dikkatini dağıtacak manevralar yapıyordu. Akın kilitlenmek üzereydi ona.

Tamamen hedefine odaklanmıştı. F-15 sert çıkışlar ve inişler yaparak düşmanının ölümcül kapanından kurtulmaya çalışıyordu ama Rus uçağının kendi manevralarına her seferinde aynı cevaplarla karşılık vermesi üzerine umudunu yitirmeye başlamıştı.

"İşte şimdi seni yakaladım."

Akın, uçağı yönlendiren kola yapışmış, dış dünyayla bağlantısını kesmişti. Kendisi dışındaki uçakların içine girdiği it dalaşlarını görmüyordu bile. Şiddetle sarsılıyordu uçak. O anda Su-

27'nin F-15'e kilitlendiğini belirten ışık yandı ve sesli alarm devreye girdi.

Füze ateşleme düğmesine bastı. Archer füzesi havada ıslık çalarak F-15'e yaklaşmaya başladı. F-15 pilotu son bir çare olarak karıştırıcı ışıldakları attı, ama füze radarı çoktan kilitlenmişti. Elektronik karıştırmalara karşı uzun süredir yapılan çalışmalar sonuç vermişti. Amerikan elektronik karıştırma sistemleri işe yaramıyordu.

Archer, acımasızca F-15'in kanadını parçaladı ve saçılan füze parçaları uçaktan atlamaya çalışan pilotun paraşütünü kullanılmaz hale getirdi. Akın o anda üzüldü ama yapacak bir şeyi yoktu. Amerikalı pilot, paraşütüne sarılı bir halde külçe gibi düşerek bulutların arasında kayboldu.

Yüzbaşı Akın etrafına bakmaya başladı. Çok geniş bir alanda şiddetli bir hava savaşı yaşanıyordu. Çok fazla zamanları yoktu. Birkaç dakika sonra geri dönüş için yakıt tüketmeye başlamak zorunda kalacaklardı ya da Türkiye'deki yollardan birisine iniş yapacaklardı.

Rus Üsteğmen Sergei'yi aradı. Sesi gelmiyordu telsizden. Biraz sonra bozuk bir İngilizce ile başka bir Rus pilotun sesi duyuldu.

"Uçağı düştü."

Akın hiçbir şey söylemedi. Amerikan savaş uçakları bölgeden uzaklaşmak üzereydi. Rakipleriyle uğraşacak durumda değillerdi. Mutlaka kısa süre içerisinde daha kalabalık olarak ortaya çıkacaklardı ama o zaman daha şiddetli bir çatışmanın içinde bulacaklardı kendilerini. Irak üzerinde bir hava savaşı beklemedikleri için bu bölgede yeterince uçak bulundurmamışlar ve tüm hava gücünü Suudi Arabistan'a ve diğer operasyonlar için güneye ve Kuveyt'e yığmışlardı. Haberler, mutlaka merkez komutanlığa ulaşmış olmalıydı ve bu haberlerin komutanlığın bütün planlarını alt üst etmiş olduğundan da şüpheleri yoktu.

Yüzbaşı Akın geri dönüş emri verdi. Uçaklar ikili kol uçuşuna geçtiler. Geriye fazla uçak kalmamıştı. Savaşın gerçekleştiği alandaki arazide pek çok uçak enkazı görülebiliyordu.

Yirmi dört uçaktan geriye altı uçak kalmıştı. Bu uçakları Rusya'ya geri götürmenin anlamı yoktu.

"Sizler Rusya'ya dönmeyi deneyin, en kötü ihtimalle Gürcistan'a inersiniz," dedi geriye kalan iki Rus pilota Akın.

Havacı selamının ardından uçaklar kuzeye yönelirken, Yüzbaşı Akın inecek bir otoyol aramaya başladı.

"Kahretsin, bu uçaklar da nereden çıktı? Derhal Güney Komutanlığa bildirin. Beklenmedik bir saldırıya uğradık, gelişmiş Rus uçaklarından oluşan bir filo Amerikan hava ve kara birliklerini vurdu."

Bu mesaj bütün birimlerde yankılandı. Tam bir şok yaşanıyordu. Amerikan ordusu, on yıllardır herhangi bir hava saldırısı sonucunda kayıp vermemişti, ama gelen haberlere göre bu saldırının sonucu tam anlamıyla bir mağlubiyetti. Rus uçaklarının son versiyonlarının bir hayli ileri seviyede olduğunu, ortak tatbikat yapıp taktiklerini çözdükleri Hindistan Hava Kuvvetleri sayesinde öğrenmişlerdi. Bu ülke ile yaptıkları tatbikatlarda mutlaka yenilmelerini sağlayacak yöntemler kullanıyorlar ve Hint pilotların, Amerikalı pilotları yenme zevkine erişmesi için ellerinden gelenin en iyisini yapmaya çalışıyorlardı. Bu sayede bütün hava saldırı ve savunma taktikleri Amerikalı pilotlar tarafından iyice test ediliyor ve Pentagon'daki askeri istihbarat birimlerine iletiliyordu. Bu birimlerde Rus saldırı uçaklarının hangi manevralarda daha etkili sonuç aldığı gibi konular masaya yatırılıyor ve ona göre karşı taktikler geliştiriliyordu.

Bu saldırının İran Hava Kuvvetleri saldırısı ile arka arkaya gelmesi işleri daha da karıştırmıştı.

Rusya, İran ile birlikte Amerika'ya karşı toplu bir hücum mu başlatacaktı yoksa?

Diego Garcia üssünden havalanan B-2 uçağında iki adet

nükleer füze bulunuyordu. Bu nükleer füzeler, sığınak delici olarak da adlandırılıyordu. İran'ın yeraltında gizli bulunan laboratuarlarını ve askeri üslerini vurmak için kullanılacaklardı.

Nükleer silahlar, yerin çok altında patlayacağı için yeryüzünde fazla bir radyoaktif kirlilik meydana getirmeyecekti. Planlanan işgal hareketi bu nedenle riskli hale gelmezdi. En azından beklentiler, bundan ibaretti. İşler yolunda giderse durumun aşağı yukarı bu şekilde gelişeceği tahmin ediliyordu. Bir felaketin olmaması ise tamamen şansa bağlıydı aslında.

Uçak, okyanusu geçip yeryüzünden 15 kilometre yüksekte güvenli bir şekilde seyrediyordu. Pilotlar sürekli olarak hedef koordinatları ve yaklaşma açıları üzerinde çalışıyor, olası senaryolara karşı neler yapılabileceğini hesaplıyorlardı. İran Körfezi civarındaki radar uçaklarından hava aktiviteleri ile ilgili bilgi alıyorlar ve hedef bölgesinin son çekilmiş uydu fotoğraflarını inceliyorlardı.

Her şey yolunda görünüyordu. İran uçaklarının saldırısından sonra genel bir sakinlik vardı. Amerikan donanmasına bağlı hava saldırı uçakları hazırdı. B-2 bölgeye ulaştığında yoğun bir hava savunma bastırma operasyonu başlayacak ve İran gökleri işgal edilecekti. B-2 nükleer silahları hedefe yolladıktan sonra da İran'dan teslim olması istenecek ve hemen kara işgali gündeme gelecekti.

ABD Kara Kuvvetlerinin 4. Mekanize Tümeni Türkiye'de hayli kayıp vermişti ama halen Suudi Arabistan'ı ele geçirebilecek kapasitedeydi. Irak'ın güneyinden Suudi sınır bölgelerine geçiş neredeyse tamamlanmıştı. Sınırdaki küçük kasabaların halkı, homurdanarak ilerleyen tank sıralarına bakıyor ve bir süre önce yanlarında olan Amerikan ordusunun şimdi neden kendi ülkelerini işgal ettiğini anlamaya çalışıyorlardı.

Dünya basını aniden meydana gelen bu çatışma haberleri ile çalkalanmaya başlamıştı. Tarihin sonunun geldiğini ve artık hiçbir zamana eski günlere dönülmeyeceğini söyleyenler, susmuş ve bu mantıksızlığı açıklamaya çalışmakla uğraşıyorlardı.

Açıklanacak fazla bir şey yoktu. Amerikan imparatorluğunun kuruluş savaşı veriliyordu ve bu konuda ciddi olduklarına dair pek çok ipucu vardı. İnanmak istemeyenler tarafından göz ardı edilen ipuçları.

Avrupa tam anlamıyla kaos içindeydi. Hükümetler sürekli olarak çeşitli konularda anlaşmaya çalışıyorlar, ancak buna imkân bulamıyorlardı. İngiltere her zamanki gibi Amerikan yanlısı bir tutum içindeydi ve bu durumda diğer ülkelerin karar alması imkânsızdı. Aşırı sağ akımlar güçlenmeye başlamıştı. Her şey çok yeniydi. Ama küçük olaylar yavaş yavaş politikayı etkilemişe benziyordu. Oy almak isteyen politikacıların, Avrupa'nın ayrımcılık karşısındaki zayıf durumunu düşünmeden oy avcılığı yapmaya başlamaları ile yaşlı kıta gerçekten de politik konularda hareket kabiliyetini tamamen yitirmiş ve Amerikan politikaları karşısında edilgin kalmıştı.

Asya piyasaları savaş stresini kaldıramayacak durumdaydı. Borsalar sürekli kan kaybediyordu ve Üçüncü Dünya Savaşı'nın çıkacağı beklentisi nedeniyle tam anlamıyla satış dalgası yaşanıyordu. Emlak fiyatları dip yaparken, emlake dayalı kredilerde geri dönüşler azalmaya başlamıştı.

Özellikle Rus savaş uçaklarının Irak'taki Amerikan birliklerini vurmaya başladığının duyulması paniği daha da körüklemişti. Rus hazine bonolarının faizleri hızla artıyordu. Her şey saatler içerisinde oluyordu ve olayların etkisi dünyaya dalgalar halinde yayılıyordu. Çin, henüz bir açıklama yapmamıştı ama Rusya ile gelişen ilişkileri nedeniyle Pekin'deki Rus Büyükelçisi özel olarak çağrılarak gelişmelerle ilgili bilgi alınmıştı.

Howard Strike, olayları kontrol altına almakta çok zorlanıyordu. Rus Hava Kuvvetlerinin Irak'ta giriştiği operasyonun perde arkasını çok iyi biliyordu ama bu saldırı neticesinde ortaya çıkacak iç komplikasyonları en az indirgemesi gerçekten de zordu.

Başkan yine telefondaydı. Sesi titriyordu. Açıklama bekliyordu. Açıklamayı hemen istiyordu ve Strike'ın bir açıklaması yoktu. Karşılık verilmesi ile ilgili olarak bir planı da yoktu.

Buna pek telefon konuşması denemezdi aslında, daha çok Başkan Stillson'ın Strike'a bağırması şeklindeydi diyalog. Başkan, Irak'taki savunmanın güçlendirilmesini ve Rus saldırısı tekrarlanırsa sadece saldırı filosunun vurulmasını istiyordu. Şimdilik Rusya ile ilgili olarak televizyonlardan yapılacak bir nükleer tehdit yeterli olur diye düşünüyordu.

Strike, bu durumdan hoşnut kaldı. Rus saldırısına geniş çaplı bir mukabele emri verilseydi eğer, bütün planları bozulabilirdi. Amerikan Kuvvetlerinin Irak içinde kalmaması gerekirdi o takdirde.

•

B-2 hedef bölgeye yaklaşmaktaydı. Uçak gemilerinden kalkan uçaklar, dalgalar halinde İran hava savunma sistemine saldırmaya başladı. Havaalanları da hedefler arasındaydı. Ancak amaç, B-2 için silahların rahat kullanılacağı bir ortam yaratmaktı. Nükleer saldırının İran'ı alt edeceğine kesin gözüyle bakılıyordu.

B-2'nin iki pilotu son kontrolleri yaptı, her şey yerli yerindeydi. Nükleer silah kullanmak, bir pilot için kolay bir şey değildi ama emir emirdi. Ve bu silahların kullanılması, daha fazla insanın ölmesini engelleyecekti.

Rüzgâr ve diğer meteorolojik veriler, silahın kullanılması açısından son derece uygundu. Pilotlarla Merkez Komutanlık arasındaki konuşmalara bir iyimserlik hakimdi.

B-2'den yüzlerce kilometre ötede bir İran hava savunma merkezinin radarları kapalı halde bekletiliyordu. Bunun nedeni Amerikan uçaklarının bu radar merkezlerinin çalışmıyor olduğunu düşünmelerini sağlamaktı. İran'ın gizlice Rusya'dan aldığı S-400 füze sistemleri bu üssün ana silahıydı. Yaklaşık olarak dört yüz kilometre menzilli bu füzeler hemen hemen Amerika'nın sahip olduğu tüm hava saldırı araçlarına karşı kesin vuruş sağlayabiliyordu.

Onlarca S-400 füzesi, radarın açılmasını bekliyordu. Beklenen an yaklaşıyordu. Bu savunma atağı, saldırganın tüm motivasyonunu kırabilirdi.

Zaman geldi. Radar operatörleri sistemleri aktif hale getirdiler. Sistem ısınır ısınmaz monitörlerde değişik ışıklar yanmaya başladı. Radarlara görünmeme özelliği olan B-2'nin bile değişik bir radar ağı sayesinde yakalanması mümkündü. Rus teknolojisi uzun yıllardır görünmez uçakları görünür kılmak için uğraşıyordu ve bunu bir yere kadar da başarmışlardı.

İranlı operatörler radarda gitgide belirmeye başlayan izi takibe aldı. Bu izin rotasını geriye doğru izlediklerinde Diego Garcia'ya ulaşılıyordu. Doğru iz üzerinde olduklarını anlamışlardı. Bir süre daha radar aydınlatması devam etti. Füzeler bilgisayarlarına bu bilgileri kaydetmişlerdi. Fırlatıldıktan sonra kendi aktif tarayıcı başlıklarıyla o uçağı vuracaklardı.

Radar komutanı kritik menzile girildiğini tespit etti. Amerikan uçağına ateş açma zamanıydı. Füzeler aktif konuma getirildi. Üste yavaş bir hareketlilik başlamıştı. Ateşleme yapılmadan bir Amerikan saldırısına maruz kalmak istemiyorlardı. Bu her an olabilirdi. Büyük ihtimalle radarın aydınlatması düşman tarafında belirlenmiş ve insansız savaş uçakları bu radarları vurmak için harekete geçmişti. Ancak daha zamanları olmalıydı.

"Füze ateşleme menzili!"

"Füzeler aktif hale geldi!"

"Radar doğrulaması alınsın."

"Alındı efendim. Hâlâ düşman uçağı takip ediliyor."

"Sakın kaçırmayın. Füzeler hedefe kilitlensin."

"Kilitlendi."

S-400'ler artık hedefi kendi sistemleri ile de takip etmek için hazırdı.

"Füzeler ateş!"

"Ateşlendi!"

Arka arkaya dört füze ateşlendi. Şiddetli bir patlama ile beraber üssü aydınlatan, roket motorlarının ateşi oldu. Gözü yanıltacak hızda ileri atıldı füzeler. Hızla tırmanma safhasına geçtiler. Aktif tarayıcıları, B-2'yi neredeyse normal bir uçak gibi görebiliyordu.

B-2 pilotları füzelerin kendilerine kilitlendiğini kendi karşı elektronik sistemleri sayesinde anlamıştı. Kabinin içini panik sardı. İki pilot da ne yapacağını bilemedi birden. Böyle bir şeyi beklemiyorlardı. Çok uzak mesafelerden atılan süper gelişmiş füzelerle karşılaşacaklarını düşünmemişlerdi.

Bunu Merkez Komutanlık da düşünmemiş olmalıydı. Haberi aldıkları anda mesajı getiren asker de dahil herkesin beti benzi atmıştı.

Nükleer silahlar taşıyan uçakları İran füzeleri tarafından kilitlenmişti ve saniyeler sonra uçak havada infilak edecekti.

Yapacak bir şey yoktu. Bekleyip füzelerin ne yapacağını görmek zorundaydılar. Ama boşunaydı. Dört gelişmiş füzenin hedefi kaçırmasına imkân yoktu.

Füzeler son safhada düz bir uçuş hattına geçti. B-2 pilotları gözlerine inanmıyorlardı, oradaydı işte. Gökyüzünde gördükleri o ışıltılar kararlı bir biçimde kendilerine doğru geliyordu. Atlayacak zamanları yoktu ve bunun bir yararı da yoktu. Hatta kilometrelercekarelik bir alanda uçan her şey, birazdan gerçekleşecek patlamanın etkisiyle buhar olacaktı.

Birbirlerine baktılar. Duydukları ses, füzelerin hıslamasıydı. Profesyonellik gereği füzeleri karıştırması beklenen elektronik karşı sistemleri devreye soktular ve ısı güdümlü füzeleri yanıltmak için kullanılan ışıldakları saçtılar. Dramatik bir andı. Pilotlar da artık bir robot gibi davranıyordu.

Füzelerin ilki, hedefe tam ortasından çarptı. Her şey saniyelikti. Diğer füzelerin hedefle buluşması asla gerçekleşmedi. İlk saniye içinde korkunç bir nükleer patlama meydana geldi. İki dalga halinde.... İki bomba da patlamıştı. Atmosferin üst tabakasına yakın bir yerde meydana gelmişti patlama. Bu nedenle yayılan şok dalgaları yüzlerce kilometrekarelik bir alandaki elektronik iletişimi bozdu. Uçağa eşlik etmek üzere yaklaşan bir F-15 filosunun tamamı havada infilak etti.

Patlamanın etkisiyle geniş bir alandaki iletişim tamamen kesildi. Uydu iletişimi de aynı şekilde etkilenmişti. Bölge, bir anda karanlığa bürünmüştü sanki. Amerikan uydularının hiçbirisi yerdeki kuvvetlerle bağlantı kuramıyordu. Teknik olarak Amerikan ordusu o bölgede bir süre için savaşma kabiliyetini yitirmiş gibiydi.

Patlamanın psikolojik etkisi ise bölgenin tamamında kendisini göstermişti. Çok uzaklardaki Amerikan askeri birlikleri, gökyüzünde yeni bir güneş meydana geldiğini sanmıştı. Bazıları bunu Tanrı'nın kendilerine verdiği bir ceza olarak değerlendirmişti.

Ancak bölge bir nükleer felaketin eşiğinden dönmüştü. Patlamanın çok yükseklerde olması nedeniyle, nükleer serpinti olmayacaktı.

Politik etkiler ise inanılmazdı. Stillson hükümeti bu patlama karşısında bütün idari kabiliyetlerini yitirecek duruma gelmişti. Sir Eli ilk kez Stillson'a sinirli yüzünü göstermişti ama her şeyi tersine döndürecek bir şey bulunabilirdi.

Başkan'ın bir kez daha Howard Strike'ı araması gerekecekti. Ancak Ortadoğu'dan gelen haberler bir türlü bitmek bilmiyordu. Rus Hava İndirme birliklerinin İran'ın başkentine doğru hareketlendiği haberleri geliyordu.

Bu bütün düşünceleri değiştiren bir durumdu. Rusya savaşa aktif olarak dahil olmuştu. Doğrudan bir müdahalede bulunmayarak Amerika ile savaşmıyor, ancak Amerika'nın hedefindeki bölgeleri kontrol altına alarak savunma yapıyordu.

Başkan, artık Sir Eli ile konuşması gerektiğini biliyordu. Sir Eli'nin bazı planları sekteye uğramış olmalıydı. Böyle düşünüyordu ama Sir Eli'yi aradığında hiç de kaygılandığı gibi sinirli bulmadı onu. Eli, sanki her şeyi bekliyormuş gibiydi.

"Sayın Sir Eli, Ortadoğu operasyonu sanırım suya düşüyor."

"Hayır!" Sir Eli'nin sesi etkileyici ve de korkutucuydu.

"Stillson, hiçbir şeyden anlamıyorsun ve bunda da sanırım mazursun. Zira herkes kendi bilinç düzeyine göre anlayabilir bazı şeyleri. Aslında orada bizim aleyhimize olan hiçbir şey yok. Bütün Ortadoğu yanmaya başladı ve nükleer bir silah patladı. Herkes silahlarına sarılacak. Ve istediğimiz gibi bölgesel bir kaos bütün sistemi sallamak için bize imkân verecek. Belki Rusya ile bile çatışacağız, ama en azından uzun vadeli olarak bizim işimize gelmeyen bütün yönetimleri ardı ardına devirmek için de yeterli nedene sahip olacağız. Böyle bir ortamda politika ve demokrasi susar! Nükleer silahların patladığı bir dünyada insanlar korkar ve susarlar! Sadece sen ve kararların vardır! İstediğin tüm kararları alabilirsin. Unutma, bunu sana korku sağlıyor!"

"Peki Sayın Eli, durumu kontrol altına almak için ne yapmamı önerirsiniz?"

"Kontrol altına alma. Olayların daha da kontrolden çıkması için bir şeyler yap. Her şeyi ben mi yapmalıyım? Ama merak etme. Seni yalnız bırakmayacağım. Gereken hazırlıklar yapıldı. Yakında İsrail'i de işin içine çekeceğiz ve bölge ateş topuna döndüğünde, bütün gücümüzle saldıracağız. O zaman bütün Kutsal Mekânlar, benim olacak. Bütün enerji merkezleri benim olacak. Dünyanın kalbini elimde tutacağım. Bunu istiyorum, hem de çok."

METAL FIRTINA ÖNCESİ KAOS

Hollanda/Amsterdam
2005

Ne yaptığını bildiğinden emin değildi. Kulakları uğulduyordu ve zihnindeki yankının etkisiyle sürekli bir ağrı hissediyordu. Sırtındaki ağırlık canını acıtıyordu. Dün geceden beri hazırlık yapmıştı. O adamlar çantayı getirip küçük haplardan vermişlerdi ona. Hapları içtiğinden beri hafızasının çok derinlerinde beliren sesler ve yankılar. Çantanın çalışma prensibi ile ilgili pek çok şey.

Sırtına bağla, elektronik ateşleyiciyi düğme ile birleştir. Bütün bu teknik detayları hatırlıyordu ama sanki kendi iç sesi gibi değildi kafasının içinde gezinen cümleler. Başka birisi tarafından başka bir dilde söyleniyordu.

Bunların bir önemi yoktu. Kendi kendine telkin ettiği bu emirleri yerine getirmeden tekrar kendi olabilmesine imkân yoktu. Bunu hissediyordu. Sırt çantasında patlayıcı vardı. Bu patlayıcı ile diğer cümleler arasındaki bağlantıları bir türlü kuramıyordu. Patlayıcılar ve düğmeler bir araya geldiğinde ne olabilirdi ki?

Soğuk Amsterdam rüzgârı giysilerinin içine girerken etraftaki insanların ona garipseyen gözlerle baktıklarını fark edebiliyordu.

Bunun bir önemi yoktu ama. Tek yapması gereken çantayla metroya girmek ve sonra orada düğmeye basmaktı. O zaman her şey normale dönecekti. Bir yerlerde bir yanlışlık var gibi geliyordu ama bunu daha sonra çözebilirdi. Yani mantığının almadığı bir şey vardı. Yolda yürürken sürekli bunu düşünüyordu. Patlayıcılar ve düğme düzeneği arasındaki ilişki onu rahatsız ediyordu. Bir an önce metroya gidip düğmeye basarsa eğer, bu rahatsızlığın sona ereceğinden emindi. Önce bunu yapıp daha sonra mantık çelişkisini çözebilirdi. Hem düşündüğü her an, beynine sanki iğneler saplanıyormuş gibi oluyordu.

Birilerinin kendi hakkında konuştuğunu ve gözlerini korku ile açtığını hissedebiliyordu. İçinde panik belirdi. Neden panik duyduğunu tam olarak hissedemiyordu. *Bir nedeni olmalı ama önce metroya gidip düğmeye basmalıyım,* diye iç geçirdi.

Metro merdivenlerine geldiğinde etrafına bakındı ve hiç düşünmeden merdivenlerden inmeye başladı. Gitgide panik artıyordu, ama bunun nedenini hâlâ anlamış değildi. İçinde nedenini bilmediği bir sıkıntı baş göstermişti. Yoksa bu düğme ve patlayıcı arasında bir bağlantı mı vardı? O patlayıcılar orada çantanın içinde öylece dururken düğmenin onlarla ne gibi bir bağlantısı olabilirdi?

Metronun en altına inmişti ama kapıdan girerken kendisini durdurmaya çalışan polise bir şeyler yapmıştı. Tam olarak ne yaptığını anlamamıştı, bunun elindeki siyah cisimle bir alakası olabilir miydi?

Evet, artık soruların cevaplarını bulma zamanıydı. Metro içindeki insanların onun hareketlerine baktıktan sonra hızla koşmaya başlamalarına anlam veremedi. Bunun belki içindeki panik ve rahatsızlıkla ilgisi olabilirdi. Neden soruların cevabını bulamadığını bilemedi. Anlamadığı o dilde konuşan insanların verdiği hap bunun nedeni olabilir miydi?

Soruların cevabını bulmalıyım, diye düşündü.

Tek hissettiği kuru bir sıcaklık duygusu oldu. Başka hiçbir şey.

Patlama nedeniyle ortaya çıkan yoğun ısı, metronun içinde yanabilen her şeyi tutuşturmuştu. Tren bekleyen insanlar rayların üzerine savrulurken bütün metaller parçalanarak duvarlara çarpan insanların üzerine mızrak gibi saplandı. Patlayıcı dolu çantaya ayrıca, C4, kimyasal yanıcı ve kesici uçlu metal parçacıklar konulmuştu. Bunların ölümcül etkisi patlamanın yarattığı basıncın etkisini kat kat artırıyordu.

Metronun dışına korkunç bir basınç ve ısı dalgası çıkmış, kapı önünde bekleyen herkesi yola savurmuş ve kulaklarının sağır olmasına, bedenlerinde ikinci derece yanıklar oluşmasına neden olmuştu.

Az sonra patlama yerinde polis ve itfaiye araçları toplanmıştı. Metrodan yoğun, siyah bir duman çıkıyordu. Yaralıların çoğu şok içindeydi ve bağırmıyorlardı. Böyle büyük olaylar olduğunda Batılıların daha sakin olduğu görülüyordu. Acaba yaşadıkları şokun büyüklüğü nedeniyle mi böyle davranıyorlardı, yoksa rasyonel kökleri daha mı derinlere dayanıyordu? Duygusal Doğulular felaketler karşısında daha insani tepkiler verirken, Batılıların tepkileri zarar görmüş robotları andırıyordu.

Olay merkezinin birkaç sokak ötesinde olup biteni izleyen sarı saçlı ve beyaz tenli birisi, herkesin aksine kafedeki masasından kımıldamamıştı bile. Cep telefonunu açtı ve bir numara çevirdi sakince. Kesme taşlı sokaklarda insanlar şok ve panik halinde koşuşturuyorlardı. O ise sakin bir şekilde telefonun açılmasını beklerken kahvesini yudumluyordu. Kimsenin onun bu garip davranışını fark etmesi mümkün değildi.

Nihayet telefon açıldı. Dış görünüşüne yansıyan rahatlığı sesinde de hissediliyordu.

"Patlama meydana geldi. Kalabalık bir anda oldu. Son ana kadar mantığının harekete geçip ilacın etkisinden kurtulacağını sandım. Çünkü etrafına bakarken zihni işlemlerinin aktif olduğu çok belliydi. Ama olmadı. Araştırmacılara söyleyin, o haplar mantığı bloke ediyor ama sanırım içgüdüsel tepkileri kontrol altına alamıyor. Bu da bir tehlike, içgüdüler her an kendi mantıklarını devreye sokarak bilincin uyanmasını sağlayabilir."

"Tamam, bilim adamları ile konuşurum. Ama bu ihtimali sıfıra yakın görüyorlar. Her ne kadar hastalar bazı uyanma belirtileri gösteriyorlarsa da ilacın etkisi nedeniyle bu asla gerçekleşmiyor."

"O aptalların ne söylediğini boşver. Umarım bir gün bombacılardan birisi uyanır ve o merkezi havaya uçurur. Hah ha ha!"

"Sence neler olacak?"

"Ne olacak, gayet basit. Avrupa gazeteleri Müslümanlara yönelik olumsuz havayı daha da pompalayacaklar. Korku artacak. Böylece patronlarının Doğu'da uygulayacağı şiddet rasyonalize edilmiş olacak."

"Bunun için size minnettarız. Avrupa operasyonlarının başarısında bize büyük katkıda bulunuyorsunuz Yılan. İsminizi söylediğimde irkiliyorum. Bu çok garip olmasa gerek."

"Bunun için teşekkür etmeyin. Gerçekten iyi para alıyorum. Ancak bunu sadece para için yaptığımı da sanmayın. İleride sizin katmanlarınızda önemli bir güç sahibi olabileceğimi düşünüyorum."

"Buna şüphe yok. Özellikle..."

"Özellikle...?"

"Türkiye operasyonunu iyi yönettiğiniz ve hedefi ele geçirdiğiniz zaman, inanamayacağınız kadar çok güç elde edeceksiniz. Patronlarım bu konularda çok cömerttirler. Çok güçlüler ve bu güçlerini paylaşmak için can attıklarına emin olabilirsiniz."

"Buna şüphem yok. Bu saldırılar nedeniyle Türkiye de başka bir Doğu ülkesi de asla Batı'ya yaklaşamayacak ve oralarda gerçekleşecek her operasyon kolayca kamuoyunda destek bulacak."

"Siz bir korku mühendisisiniz Yılan, adınız da bunu doğruluyor zaten."

"Teşekkür ederim. Ancak unutmayın, bu gençleri bulup sizin Amerika'daki merkezinize yollamak ve sonra da buraya sokup tedaviye devam etmek, gerçekten beni hayli zorlayan bir durum. Bu bilimsel çalışmaları Avrupa'da yapsak daha kolay olmaz mı? Yetiştirilen bombacıların taşınması sorunu ortadan kalkar böylece."

"Sanmıyorum Yılan, İngiltere olabilirdi belki ama orada da *BBC* var. Hiç belli olmaz, bu bilgiye ulaşabilirlerse yayınlayabilirler de. Oysa Amerika bu açıdan gayet güvenli."

"Geçenlerde *New York Times*'ta CIA'in paravan şirketinin ortaya çıktığı ile ilgili bir bilgi vardı. Sanırım *New York Times* da hayli tarafsız bir gazete."

"Ne, tarafsız mı? Çok komik. O haberin neresi yeni anlayamıyorum. Haber yayınlanmadan çok çok önce eski CIA Direktörü Richard Helms anılarında o şirketin CIA'in paravan şirketi olduğundan bahsediyordu. Ve bunu alıp sanki *New York Times* devlete rağmen böyle haberleri yayınlayabilirmiş gibi bir hava estirdiler."

"Tanrım, size inanamıyorum. Bu işleri tezgâhlamakta inanılmaz başarılısınız."

"Bu da bizim işimiz Yılan. İnsanların beyinleriyle oynamak. Onlara bizim istediğimiz şeyleri düşündürtmek. Onları bu nedenle burada eğitmekten hoşlanıyoruz. En zeki bilim adamı bile temelde bizim ona öğrettiğimiz mantığı kullandığı için ne yaparsak yapalım kafalarını karıştırmak çocuk oyuncağı."

"Umarım bir gün birileri bunu çözmez."

"Önemli değil. Çözseler bile kurumsal bir cevap veremeyeceklerdir. On yıllar süren çalışmalarımızı tek başına birilerinin engellemesine imkân yok."

"Sizi Türkiye'den ararım. Umarım orada kimse ayağıma dolanmaz ve hedefimdeki adamı kolayca alırım."

"Her türlü kolaylığı gösterecekler size. Siz sadece birliğinizi hazırlayın ve savaşa hazır olun."

İstanbul, 2005

Uçağın tekerlekleri Atatürk Havalimanının 3 no'lu pistine değer değmez yolcular derin bir oh çektiler. Hayli zor bir yolculuk olmuştu. Atlantik Okyanusu üzerindeki fırtına bulutları nedeniyle zor saatler geçirmişlerdi.

Yolcular hızlı hareketlerle uçağı boşaltmaya koyuldu, bir an önce Airbus'tan inmek istiyorlardı. Erkekler dolaplardan çanta yığınlarını indirirken, kadınlar ağlayan çocukları susturmakla meşguldü.

Herkesin yüzünde uçakta yaşadığı paniğin izleri vardı. Yalnızca yolculardan bir tanesi hariç.

Michael Einckhorff, uçak en çok sallandığı anda bile uykusunu bölmemiş ve ne olup bittiğini anlamak için bile dışarıya bakmamıştı.

Einckhorff, uçak durunca birinci sınıftaki koltuğundan kalktı, küçük çantasını alıp emin adımlarla dışarıya çıktı. Hosteslerin selamlarına karşılık vermedi. Uçağın merdivenlerine adım atar atmaz siyah güneş gözlüklerini taktı. Kısa, sarı kıvırcık saçları ve keskin yüz hatlarıyla soğuk bir ifadesi vardı.

Tavırları pasaport kontrolde de aynı biçimdeydi, kimse ona ne yaptığını ya da ne yapacağını sormamıştı. Pasaportu resmi değildi; ama yüzünün ifadesi, dışarıyla iletişime tamamen kapalı olduğu izlenimini veriyordu.

Havaalanı taksilerinden birisine bindi, *Penta Hotel,* dedi sadece. Taksi şoförü bunu duyduğuna hiç memnun olmamıştı, bu kadar yakın bir yere gitmek işine gelmiyordu doğrusu. Yüzünü buruşturdu ve sinirli hareketlerle gaza bastı. Taksicinin hareketlerine bir anlam verememişti Einckhorff, ancak aklından geçenleri dışarıya yansıtmıyordu.

Beş dakika sonra otelin önündeydiler. Sert ifadeli Amerikalı, parayı uzattı. Taksici banknotu alıp ön konsolun üzerine fırlattı ve hiç dönüp bakmadı. Einckhorff taksiden inerken sinirli şoför gaza bastı, neredeyse düşürecekti onu.

Einckhorff sinirlenmişti şimdi, koşup, hareket etmekte olan taksiye yetişti ve şoförün bulunduğu taraftan cama yumruk attı. Şoför bir anda neye uğradığını şaşırdı. Einckhorff, şoförü alıp kırılan camdan dışarıya çekti. Ve birkaç darbe ile yere serdi.

Otelin önündeki görevliler önce bir yerlerinde kalakaldılar, sonra hemen koşarak yanlarına geldiler ve araya girdiler. Şoför ne yapacağını bilemez haldeydi, ağzından kan geliyordu. Otel görevlilerinin araya girmesiyle sustu. *Bu manyakla uğraşmaya gerek yok,* diye düşündü.

Otelin kayıt işlemleri yıldırım hızıyla yapılmıştı. Kimse bu adama bulaşmak niyetinde değildi.

Otel odası denizi görüyordu. *Muhteşem,* diye düşündü Michael, harika bir yere gelmişti. Sevdiği bir yerle ilgili görev almak hoşuna gitmişti.

Bir süre odanın içinde gezindikten sonra telefonu açıp kendisine bir numara bağlamalarını istedi. Normal zamanlarda bu tür konuşmaları gizli yapardı ama buna gerek duymuyordu şimdi. Geri dönülmesi imkânsız bir yola girilmişti. Bu nedenle fazla gizli olmaya gerek yoktu.

Telefona çıkan sekreter, Einckhorff ismini duyunca hemen hattı beklemeye alıp gerekli işlemi gerçekleştirdi. Arada saniyelerle süren müzik sesinden sonra gazeteci Atıf Eralp hattaydı.

"Merhaba, İstanbul'dayım. Bu akşam Bebek'te yemek yiyelim, sonra bazı işlerim var."

"Merhaba Michael, umarım yolculuğun rahat geçmiştir. Akşam 7'de işlerim biter, Bebek balıkçısında buluşalım."

"İyi fikir Atıf, seninle çalışmak çok güzel." Sesi dondurucuydu, iyi eğitimli bir asker gibi hareket ediyordu Einckhorff ve bu durum Atıf'ın zaman zaman tüylerini ürpertiyordu.

"Teşekkür ederim Michael, bazı haberler getirecektin. Durumlar iyi mi?"

"Bilderberg konusu mu? Evet, o konuda iyi haberlerim var. Bazı konular var, bu talimatlara göre birkaç yazı yazılması gerekiyor. İsteğe bağlı değil yalnız..." Konuşması kahkaha ile kesildi.

"Yazı mı? Bu aralar bu konularda çok fazla açık davranıyorum Michael, fazla belli oluyor gibi sanki, ama çok şükür algılamıyor insanlar. Ama yazarız, ne yapalım!"

"Kamuoyunun düşüncelerini etkilememiz gerekiyor. Çok büyük bir proje uygulamaya konmak üzere Atıf," dedi Einckhorff.

Atıf Eralp saf bir ses tonu ile sordu:

"Büyük Ortadoğu Projesi, değil mi?"

Einckhorff telefonun öbür ucunda sırıtıyordu ama ses tonuna yansımıyordu bu durum.

"Evet Atıf, büyük bir demokrasi projesi bu, bölgedeki bütün ülkelerin demokratik bir yönetim altına girmesi için çalışacağız." *Tanrım, bu adam gerçekten geri zekalı olmalı,* diye düşündü.

"Biliyorum Michael, ben de sana katılıyorum bu konuda. Proje çok yavaş işliyordu, artık hızlanmalı bazı şeyler."

"Merak etme, sandığından daha da hızlı olacak her şey. Olacaklara inanamayacaksın..."

"Peki, akşam detaylı konuşuruz yemekte."

Michael Einckhorff, diz üstü bilgisayarını çalıştırıp uydu internet bağlantısını açtı. Karşısında CIA'in ana sayfası vardı. Özel bir kod girdi ve bu kod sayesinde bağlantılı bir şirketin internet sayfasına geçti. CIA'in kurduğu paravan şirketlerden birisiydi; Cultural Studies International (CSI).

Bu şirket için bir araştırma yaptığı örtüsü altında, çok önemli bir rapor hazırlayacaktı Einckhorrf; hem raporu hazırlayacak, hem Pentagon'un elinde bulunan İstanbul ile ilgili son haritaların doğrulaması için gereken veri kontrolünü yapacaktı.

Türkiye içindeki CIA bağlantılarının bile hiçbir şeyden haberi olmaması gerekiyordu. Onlar, İran ve Suriye'ye saldırılması ile ilgili bir kamuoyu oluşturulması işini yaptıklarını zannedeceklerdi ve bu sırada esas operasyon için gereken gizlilik perdesi sağlanmış olacaktı.

İnternet sitesinde güvenli giriş yazan yere başka bir kod yazdı. Şimdi önünde pek çok dosyanın olduğu bir sayfa vardı. Bu sayfalarda gezindi bir süre ve önündeki deftere bazı notlar aldı. Bu dosyalarda her ne kadar bazı araştırma sonuçları yer alıyor olsa da, aslında CIA'in ajanlarıyla yaptığı gizli iletişimin bir parçasıydı bunlar. Sadece ajanların bildiği parametreler kullanılarak araştırma dosyalarına gizli mesajlar ekleniyordu.

Einckhorff, beş dakika sonra işini bitirmiş ve bilgisayarı kapatmıştı. Hemen hazırlanıp çıkması gerekiyordu. Pek çok kişiyle görüşecek ve önündeki bir hafta içinde detaylı bir rapor hazırlayacaktı.

CIA'in bütçesinden yapılan kesintilerle yeni istihbarat örgütleri kurulması bu nedenle kötüydü işte, üç kişilik işi bir kişiye yıkıyorlardı. *Beyinsizler,* diye geçirdi içinden.

CIA'in askeri operasyonlar bölümünün kıdemli bir üyesi olmasına rağmen sivil işlerin yoğunluğu nedeniyle bu işe verilmişti şimdi ve gerçekten de zordu durum, çok hassastı. Kendisini tarihin değişim noktasında gibi hissediyordu.

CIA askeri operasyonlar görevlisi, otelden ayrılıp taksiye binerken etrafına bakma gereği bile duymuyordu. Belki de gereğinden fazla rahat davranıyordu ya da kendisine ve kurumuna olan güveninde sarsılmaz bir saflık vardı.

Otelin karşı köşesindeki bir aracın içinde bulunan beyaz saçlı ve şeker yüzlü bir ihtiyar, gayet sakin bir şekilde onu izliyordu. Taksi aracın önünden geçerken bile başını çevirmemişti yaşlı adam.

CIA ajanının taksisi önünden geçtikten sonra elindeki cep telefonunu kaldırıp bir düğmeye bastı, birkaç saniye bekledi.

"Sevgili Sir Eli'ye iletin. Adamımız burada, çok hızlı hareket ediyor efendim. Evet, onu takip altında tutacağız... Biliyorum, bizim haberimiz olmadan hiç bir şey yapamaz, hiç merak etmeyin."

Kuzey Irak, 2005

Selçuk, askere geldiği günden beri ailesini telefonla aramamıştı. Garip bir ruh hali içindeydi, onu merak ettiklerini biliyordu ama arayamıyordu yine de.

Okulunu bitirmiş ve aylarca iş aramıştı. Yoktu hiçbir şey, boşu boşuna mı 4 yıl boyunca Mimar Sinan'da grafik sanatlar okumuştu! İş bulduğu zaman da aylık masrafını bile karşılayamayacak bir para öneriyorlardı.

Askere gelmeye karar vermişti Selçuk, yedek subay olarak yapıyordu vazifesini. Uzun dönem çıkınca askerlik, kız arkadaşından da ayrılmıştı. Onun uzun süre beklemesini istemiyordu. Ve şimdi, Hakkari Dağ Komando Tugayı'nda takım komutanı olarak Kuzey Irak'ta bulunuyordu.

Bulundukları bölgenin iklimine yeni alışmaya başlamıştı. Ve aslında askerliğe de. Sonsuz zorluklarla dolu arazi, iliklere işleyen soğuk veya kavuran sıcak, zihnindeki şehri silmeye başlamıştı bile. Kader birliği ettiği askerlerinin kimi zaman komutanı, kimi zaman ağabeyi olmuştu. Hepsi tek bir vücudun organıydı.

Er Mehmet selam verip komutana çayın hazır olduğunu söylediğinde gece 01:00'di. Terk ettiği kız arkadaşı ile geçirdiği üniversite yıllarından sıyrılıp, oturduğu nispeten düz kayadan kalktı. Askerlerinin yanına geçip yere çömeldi. Er Mehmet, çelik kaba demli bir çay koyup komutanına uzattı.

"Sağol Mehmet, malzemeleri kontrol ettin mi?"

"Ettim komutanım. Eğer otuz dakika sonra buradan ayrılırsak yeni kamp yerine sabah 04:30 civarı varabiliriz."

Mehmet, 21 yaşında uzun boylu, iri kemikli, kocaman elli, Trabzonlu bir askerdi. Selçuk onun yüzüne baktığında küçük bir çocuk görüyordu aslında, doğanın zorlu ellerinde kabalaşmıştı elleri herhalde.

Yerlerinden kalkıp hazırlanmaya yeltendiler ki, karşı tepenin yamaçlarında bir hareketlilik gördüler.

Hemen yere yatmalarını söyledi Selçuk askerlerine. Yere yatıp, tepe yamacındaki karaltıları izlemeye başladılar.

Ağır silahları olan birileriydi bunlar, ama terörist değillerdi. Farklı görünüyorlardı. Gece görüş sistemlerinden hemen izlemeye koyuldular, adamlar da onları fark etmişti.

Selçuk kafalarının az üzerinden geçen mermi sesi ile kendine geldi. Bunlar gerçekten profesyoneldi, tuzağa düşmeden tuzağı fark etmişlerdi.

"Ateş!" diye bağırdı Selçuk ve takımın ağır silahları, karaltıların üzerine alev kusmaya başladı.

Tepe yamacında mermilerin çarpması ile kalkan toprakların izini görebiliyorlardı. Selçuk gece görüş nişangâhından adamları izliyordu, hepsi etrafa dağılmaya uğraşıyorlardı ama birkaçı vurulmuştu ve yerde sürünüyordu.

Bir dakika içinde daha çoğunun vurulduğunu gördü. Neredeyse bitmişlerdi ve kendi askerlerinden sadece bir er, başından yaralanmıştı.

Dakikalar sonra ateş durdu. Selçuk ne olduğunu anlayabilmek için kafasını kaldırdı. Birilerinin oraya gitmesi gerekiyordu. Hemen tugay komutanlığına telsizle bildirimde bulundu. Komutanlıktan yanıt çabuk gelmişti. Bir Scorsky'e doluşan on beş komando ile beraber silahlı bir başka helikopter, bölgeye doğru yol alıyordu.

Selçuk onları beklemenin doğru olduğunu düşündü. Karşı taraftan ateş gelmiyorsa da bu, pusuya yatan birileri olmadığı anlamına gelmezdi.

Selçuk dayanamadı, "Ben gideceğim, siz burada kalın, birazdan helikopter gelecek. Yardıma gelenleri benim gittiğim yere yönlendirin," dedi.

Askerler "Dur, gitme komutanım," deseler de dinlemedi Selçuk. Onların yorgun bakışları arasında yamaçtan inip düzlüğe geldi ve ateş ettikleri diğer tepenin yamacına koşmaya başladı. Onu dürbünle takip ediyordu askerler, gece karanlığı neredeyse sona erecekti. Güneşin ışıkları ufukta görülebiliyordu.

Bu sırada Selçuk'un yere yattığını gördüler. Ters giden bir şeyler oluyor gibiydi. Sonra Selçuk kalktı ve yavaş yavaş yürümeye başladı. Elindeki silahı artık havaya doğrultuyordu ve zaten bir süre sonra da silahı yere attı. Askerler telaşlanmıştı, evet, orada hâlâ canlı birileri vardı ve Selçuk'a bir silah doğrultmuş olmalıydılar.

Askerler yerlerinde kalmak üzere kesin emir almışlardı, komutanlarının yanına gitmeleri gerekiyor muydu, emin değildiler. Uzaklardan yaklaşan helikopterlerin sesi duyulmaya başlamıştı. Yerlerinde kalmaya karar verdiler.

Selçuk ateş ettikleri yere yaklaşınca donup kalmıştı, az ötede bir oyuğun içinde, iki silah kendisine doğrulmuş bekliyordu. Ona önce yere yatmasını, sonra kalkıp silahını atmasını söylemişlerdi.

Selçuk bunlara uymak zorundaydı, yoksa hayatını kaybetmesi işten bile olmazdı. Silahını atıp ellerini kaldırdı, *umarım adamlarım buraya gelmeye çalışmaz*, diye düşünüyordu.

"Buraya gel," diye bağırdı adam. İngilizce konuşuyordu ama aksanı bir garipti. Selçuk ona doğru ilerlemeye başladı.

Kovuğun içinde üç kişi olduğunu gördü, çok sinirli ve panik halindeydiler. Helikopterlerin sesi yaklaşıyordu. Biraz sonra burası cehenneme dönecekti.

Selçuk adamların kendi aralarında farklı bir dilde konuştuklarını anlamıştı, ama hangi dil olduğunu bilemiyordu.

İçlerinden birisi, büyük bir kutu çıkarttı. Selçuk'un kalbi deli gibi atmaya başladı. Bu bir roketatardı. Yaklaşan helikopterlere ateş edeceklerini anladı. Kavuğun hayli uzun bir tünel olduğunu gördü Selçuk. Tepenin arka tarafına açılıyordu. Bunun çok önceden açılmış olduğu belliydi. Bunlar her kimse, buraları iyi tanıyan insanlarla ilişki içinde olmalıydılar.

Roketatarı hazırlayan adam çıkıp kovuğun dışına bakmaya başladı. Havayı gözetliyordu, birden heyecanlandığı görüldü. Bir yerlere hedef almaya çalışıyordu. Bu sırada hemen yanlarındaki bir kayaya mermi çarptı ve kaya parçalandı. Selçuk'un takımındaki askerler, adamı belirlemiş olmalıydı. Onu vurmaya çalışıyorlardı. Helikopteri vuracağını anlamışlardı.

Helikopterlerin sesi çok yaklaşmıştı, hemen üstlerinde olmalıydılar. Silahlı Cobra helikopterinin tok ve azametli sesi hepsinde korkuya neden oluyordu. Eğer Cobra'ya yakalanırlarsa hepsinin ölmesi kaçınılmazdı.

Adam bir süre kaya arkasında saklandıktan sonra aniden ortaya çıktı, hedefi yakalamış gibi görünüyordu. O ortaya çıkınca mermiler etrafına düşmeye başladı, ama yine de birkaç saniye yerinden kıpırdamadı, roketi ateşledi. Sabah olmaya başlarken sessizliği bozan mermi seslerine bir de roketin fısıldayışı eklenmişti.

Roket inanılmaz bir hızla hedefle arasındaki beş yüz metrelik mesafeyi kat etti ve Cobra'nın tam ön camında patladı. Helikopter aniden bütün bedeni felç olmuş bir insan gibi yere doğru serbest düşüşe geçti ve büyük bir gürültüyle patladı. Serin havaya kahraman ruhlar karışmıştı.

Komandoları taşıyan helikopter, havada geniş bir kavis çizdi ve tepenin üzerinden uzaklaşmaya çalıştı. Bunu yaparken de roketin geldiği yöne doğru gelişigüzel makineli tüfek ateşi yağdırıyordu. Komandoları taşıyan helikopter hemen diğer takımın bulunduğu tepenin arkasına doğru alçaldı.

Fazla zamanları yoktu, birazdan gelip hepsini yakalayacaktı Türk askerleri. Adamlar Selçuk'a susmasını ve hızla koşmasını söylediler. Hemen bu ateş yumağından kurtulmalıydılar. Güneş doğduktan sonra işin rengi daha da değişecekti.

Selçuk ve silahlı üç adam hızla tüneli geçti, birisi tünelin girişini bubi tuzağı haline getirmişti. Selçuk adamlarının bu tuzağa düşmeyeceğini çok iyi biliyordu ama bu tuzak yüzünden kendilerini ellerinden kaçıracaklarını tahmin ediyordu.

Kahretsin, yakalandım, diye düşündü.

İstanbul, 2005

Einckhorff, gece yemek yedikleri lokantaya daha önce de geldiğini düşündü. Türkiye'deki CIA bağlantılarıyla sık sık bu deniz kenarındaki balık lokantasında buluşuyorlardı. İstanbul'a gelen kalburüstü zengin turistler, bu balık lokantasına uğramadan geçmezdi.

"Ah ah ha, bakın kalamarı sosu olmadan yemek, insan eti yemeye benziyor," diye yüksek sesle konuştu Atıf Eralp.

"Atıf, böyle kötü espriler yaparken daha kısık sesle konuş, masanın kalitesini düşürüyorsun," diye cevap verdi Michael, ama ses tonu esprinin ciddi olduğunu anlatıyordu. Atıf ondan korkuyordu, her ne kadar burası kendi çöplüğü olsa da, bu adamın bir tek sözü ile bütün kariyeri mahvolabilirdi. CIA'den önemli miktarda para kazanıyordu ve bu paraları ne yazık ki Türkiye'de yiyemiyordu. Miami'de ev almıştı ve bir gün orada yaşamayı hayal ediyordu. En büyük gençlik hayaliydi Amerika'da yaşamak ve bunu bir gün başaracağını umuyordu.

"Tamam Michael," dedi, ancak yüzündeki gülümseme gitmişti. Atıf, karşısındaki CIA ajanının gergin olduğunu hissediyordu. *Bu adam bir şeyler gizliyor benden,* diye düşündü.

"Atıf, yazını bir an önce yazman gerekiyor. Bu operasyona hemen başlamalıyız. Büyük Ortadoğu Projesi, daha hızlı ilerlemeli. Bu nedenle antidemokratik ülkelerin rejimlerini devirmek istiyoruz. Suriye, ilk hedef olabilir..."

"Ben de bunu isterim Michael. Zaten sizinle çalışma nedenim, Amerika'nın çıkarları ile Türkiye'nin çıkarlarını bir görmem."

Seni pis para düşkünü vatan haini, diye geçirdi içinden Michael Einckhorff, Atıf'ın kırmızı suratına ve göbeğine baktığında iğreniyordu. Ne olursa olsun o bir vatan hainiydi ve bir vatan haini kendisi için çalışıyor olsa bile ondan nefret etmesi için yeterli nedeni vardı ama bunu belli etmemeliydi.

"Evet, ancak çabuk olunmalı, biliyorsun, bizim amacımız Türkiye'yi bu bölgenin lideri yapmak..."

"Evet, bilmez miyim, Amerikalılar bizim dostumuz, buna yürekten inanıyorum. Yahu zaten NATO'da da, Avrupa Birliği'nde de her zaman bizi destekliyorsunuz."

"Evet Atıf, bizi anlamana seviniyorum."

"Şu Bilderberg olayını ne yaptın?"

"Tamamdır o konu, Komisyona bilgiyi verebilirsin, gerekli bağlantıları yaptım. Sen de katılabileceksin toplantılara. Ama bunu neden istediğini anlamış değilim doğrusu."

"İstiyorum, çünkü bu sayede daha çok kişi ile tanışabilirim. Ulaşmak istediğim bazı Yahudi kuruluşları var, oradan iyi iş çıkacaktır."

"Çok hareketlisin Atıf, sen bir zamanlar başka şeyleri savunurdun, çabuk değişmişsin. Aslına bakılırsa senin gibi insanları pek sevmem."

"Saçmalama Michael! Her şey değişir, ben buna inanırım. Bu nedenle eski görüşlerimi zamanı geldiğinde hemen değiştiririm..."

Buraya başka bir şekilde geldiğim gün, ilk bu adamın işini halledeceğim, diye düşündü Michael.

Ertesi sabah ilk işi, elindeki haritada yer alan askeri birliklerin yerini işaretlemek için bir gezi yapmak oldu. İstanbul'daki birliklerin hepsinin yerini tam olarak belirleyip, bu üslerde herhangi bir değişiklik olup olmadığını araştırıyordu. Bu arada insanlarla konuşup onların fikirlerini alıyor ve yazacağı dosyaya eklemek için farklı bilgiler toplamaya çalışıyordu.

Dışarıdan bakıldığında gerçek anlamda bilimsel bir çalışma görüntüsü vermeliydi işine, bu sayede büyük planı uygulayacakları toplumu iyi tanımış olurlardı.

Gün boyunca İstanbul'un pek çok yerini gezdi, üniversiteli gençlerin buluştuğu kafelerde oturdu, insanlarla konuştu. Einckhorff için iletişim kurmak kolaydı, herkes onunla konuşmaktan memnun oluyor ve istediği her şeye cevap veriyordu. İşinin fazlasıyla kolay olduğunu düşündü Michael, bu kadar kolay işler için eğitilmemişti ve zaten bu, arada çıkarması gereken bir işti sadece. Hem, esas hizmet ettiği kuruluşa daha ödemesi gereken borçları vardı.

Otele döndüğünde çok yorgundu. Bütün gün dolaşmıştı İstanbul'u; konuşmuş, gezmiş ve yorulmuştu. Şimdi oturup raporunu yazmaya başlaması gerekiyordu. İş ne kadar çabuk biterse o kadar iyiydi, Amerikan ordusunun psikolojik harp kuvvetlerinin gereken hazırlığı yapması için bu rapor büyük önem taşıyordu.

Kuzey Irak, 2005

Selçuk gözlerini açtığında nerede olduğunu bilmiyordu. Garip, in gibi bir yerdi burası, kimlerle çatıştıklarını ve kimlere esir düştüğünü bilmiyordu.

Etrafına bakınmaya çalıştı. Karanlıktı, ama kapıdan ışık sızıyordu. Bu ışıkta duvarların doğal olduğunu gördü. Büyük bir mağaraydı burası. Yerde öylece yatmaktaydı, ne kadar süredir böyleydi kim bilir?

Ayağa kalkıp kapıya yürüdü. Üzerindeki deliklerden dışarıya baktı. Öksürdü. Ses çıkarınca uyandığını anlamış olmalıydılar ki kapıyı açtılar.

Onlara anlamsız gözlerle baktı. İçinde korkudan eser yoktu, garip bir şeylerin döndüğünün farkındaydı.

Mağaranın dışına çıktığında, içinde bulunduğu kovuğun daha büyük bir mağara kompleksinin içinde olduğunu anladı. Güneş ışığı yirmi metre kadar uzaktaydı. Mağaranın yüksek tavanında sarı ışıklar asılıydı ve bir hayli de nemliydi burası.

"Selam, bizim esirimizsiniz." Sarı saçlı birisi dost görünmeye çalışarak yanaşmıştı ona.

Selçuk hiç selam vermedi, sadece başını döndürüp adama baktı. Ona benzeyen pek çok asker vardı. Hepsinin de asker olduğundan şüphesi yoktu ama bunların sıradan askerler olmadığına emindi.

"Sizi buraya getirme nedenimiz... Aslında biz bazı Türk askerlerini kaçırmayı düşünüyorduk, sizinle karşılaşınca madem elimizde hazır bir tane var, o zaman onu alalım dedik. Yani burada bulunmanız tamamen tesadüf."

Selçuk yine boş gözlerle baktı ona.

"Neden Türk askeri kaçırmak istiyordunuz?" dedi, sesi zor çıkıyordu. Ağzı ölesiye kuruydu.

"Doğrusunu söylemek gerekirse, denemek istediğimiz bazı şeyler var ve bunları en iyi bir Türk askeri üzerinde deneyebileceğimizi düşündük."

"Neden?"

"Çünkü nihayetinde deneyeceğimiz şeyler, onlara karşı kullanılmak üzere geliştirildi."

Selçuk, gözlerini açtı, şaşırmıştı ve dehşete düşmüştü. Askerleri geldi aklına, bir an için olayın sadece onlarla sınırlı kalacağını düşündü nedense, algısı henüz iyi çalışmıyordu.

"Hayır, askerlerime hiçbir şey yapmayın!" dedi.

Karşısındaki yabancı asker onun durumunu anlayabiliyordu, şu an için Selçuk'tan fazla bir şey bekleyemeyeceklerini biliyordu.

"Onlara bir şey olmayacak... En azından şimdilik..."

Selçuk hiçbir şey anlamıyordu. Bu birkaç adam bir araya gelmiş, Türk askerlerinden bahsediyorlardı. Gözlerinin karardığını hissetti. Dizlerinin bağı çözülüyordu.

Bayılacağını anladılar, iki asker koluna girip onu tekrar eski yerine götürdü.

Az önce Selçuk'la konuşmuş olan asker, mağaranın köşesindeki büyük masanın yanına gitti. Büyük bir konsol ve ona bağlı uydu telefonu vardı. Telefonu açıp kurcalamaya başladı. Bir yerlerle bağlantı kurmaya çalışıyordu. Uydu cızırtıları mağaranın öbür ucundan duyulabiliyordu.

En sonunda bağlantı gerçekleşti ama ses kalitesi iyi değildi. İletişim uyduları yine güneş patlamalarının etkisinde kalmış olmalıydı. Bir süre bu parçacık fırtınaları arasında doğru dürüst iletişim sağlayamayacaktı uydular. En azından mağaradaki askerlerin kullandığı ticari uydularda durum böyleydi. Yoksa askeri uydularda bu sorun minimuma indirilmişti. Ancak askeri uyduları kullanamazlardı, her ne kadar özel askeri personel statüsünde olsalar da, hiçbir resmi iletişim kanalını kullanmalarına izin yoktu.

Sarı saçlı adam mikrofona onun dışında kimsenin anlamadığı bazı kodlar söyledi ve beklemeye devam etti. Bu kodlar onun başka kanallara girmesini sağlıyor olmalıydı.

"Evet, burası Dağtüneli. Evet, bunu anladınız mı, burası Dağtüneli. Kahretsin!!" İletişim kurmak gerçekten zordu.

"Evet, sesinizi alıyorum, beni duyuyor musunuz?"

"Anlaşıldı, duyuyoruz."

"Tamam, Dağfareleri sorunla karşılaştı. Çatışmaya girdi ve kayıp verdi. Ancak sorun yok. Bir Türk askerini ele geçirdik. Sanırım ilk denemeler için yeterlidir."

"Yeterli olduğunu sanıyoruz Dağfaresi, bu işin çok çabuk tamamlanması gerekiyor. Operasyon hızla uygulamaya konacak. Bu nedenle hemen yakalanan adamın Amerika'ya getirilmesini istiyoruz. Bir ay sonra aletin çalışma prensiplerini denemiş ve kullanılır hale getirmiş olmalıyız."

"Biliyorum, bundan haberim var. Sir Eli Brandeis'ten uzun zamandır haber alamıyorum. Önceden aradığımda benimle konuşurdu ama artık ulaşamıyorum, umarım bir sorun yoktur."

"Hayır, bir sorun yok. Sir Eli, Adrian III. Lynam ile uzun bir tatile çıktı. Bu tatilde sanırım ona bazı talimatlar verecek, bu talimatlara göre Adrian Lynam'ın gereken düzenlemeleri yapması için yol haritaları olacak. Biliyorsun, Sir Eli, asla görünen tarafta olmayı sevmez. Adrian onun çok eskiden beri kullandığı bir kaldıraç, çünkü politikacılarla arası iyi ve hemen hemen istediği her şeyi yaptırma konusunda üstün becerilere sahip. Bu arada Adrian Lynam'ın bu operasyonda alacağı şeyin maddi değeri inanılmaz büyüklükte."

"Biliyorum, bunlardan haberim var, elimden geleni yapıyorum. İşin kokusunu çıkarmadan size istediklerinizi getireceğim."

"Türk askerini hemen Amerika'ya bekliyoruz. Bu arada sizden esas istediğimiz büyük av hakkında ne yapmayı planlıyorsunuz?"

"Bilmiyorum, bilmiyorum. Çok büyük bir şey istiyorsunuz benden."

"Evet, senden çok büyük bir şey istiyoruz ama bunun karşılığının yüz milyon dolar olduğunu biliyorsun. Paralı askeri birimlere şimdiye kadar ödenen en büyük rakam bu."

"Tanrım, bunu istediğinize inanamıyorum, benden gelecekte ülkenin başına geçebilecek birisini kaçırmamı ve size getirmemi istiyorsunuz."

"Evet, bunu istiyoruz. Birkaç isim var hatta."

"Peki, bunu büyük ateş altında gerçekleştirmem gerekeceğini de biliyorsunuz."

"İmkânsız gibi görünüyor değil mi?"

"Aslına bakılırsa imkânsız..."

"Yüz milyon doları ödemek de öyle..."

"Tamam, ben yapmayacağımı söylemedim ki. Ancak sırf benim emrimle bize destek olacak bir hava saldırı filosu hazırlamanızı istiyorum."

"İsrail Hava Kuvvetlerinden bir filoyu ayarlamak için çok uğraştık. Filo için tatbikat izni çıkarıldı ve bu filoyu Kıbrıs Rum kesiminde konuşlandıracağız."

"Çok güzel, F-15E'ler olmasını istiyorum, sürekli benim

yakınımda olmalı bunlar ve eğer büyük bir çatışmaya girersek hemen yakın hava desteği sağlanmalı."

"Bunu yapacaklar, çok istekli değiller ama yapacaklar. Korkuyorlar çünkü Türkiye'den ve açıkçası Amerika'ya güvenmiyorlar. Sen kaç adamla bu operasyonu yapacaksın?"

"İstekli olup olmamaları umurumda değil, ihtiyacım olduğunda orada olsunlar yeter. Uçaklarını da Amerikan uçakları gibi boyasınlar. Ben ve kırk beş asker."

"Kırk altı kişilik bir kuvvetle koca bir bakanı kaçırabilecek misin?"

"O kırk beş askeri bir arada karşında görsen eminim altına ederdin. Hepsi de Afrika'daki darbelerde savaşmış ölüm makineleri."

"Adamımıza zarar gelmesini istemiyorum."

"Merak etme, bunun için özen göstereceğim. Bizim de kayıplarımız olacaktır, buna hazırlıklılar, eğer kayıp olursa kayıpların ailelerine ayrıca beş milyon dolar ödeme yapılmasını istiyorum."

"Merak etme, bu konuda ne kadar hassas olduğumu biliyorsun."

"Biliyorum, hattı kapatıyorum."

Sarı saçlı adam hattı kapatıp, sistemin ana anahtarını çevirerek uydu iletişim sisteminin durmasını sağladı. Hattın iki ucundaki adam da birbirlerine isimleriyle hitap etmemişti ama patronlarının ismini kullanmaktan çekinmiyorlardı. O insanların isimleri duyulsa bile kolay lokma olmadıklarını düşünüyor olmalıydılar.

İstanbul, 2005

Michael Einckhorff, odasında raporu bitirmek için uğraşıyordu. Burası, ilk geldiği otel odası değildi, CIA'in güvenli evlerinden birisiydi. Bu genelde kendi topraklarında yaptıkları bir uygulamaydı ama sırf bu özel operasyon için Türkiye'de de bir güvenli ev kurmuşlardı.

Boğaz'a bakan, muhteşem manzaralı bir daireydi. Güya bir Amerikan şirketinde müdür olarak işe başlamıştı Einckhorff, bu maske altında evi kiralamışlardı.

Karşısında akıp giden gemilere bakarken rapor yazmak çok zordu. Bu siluetin bir süre sonra ne kadar dramatik bir şekilde değişeceğini düşündüğü zaman içi burkuldu. Elinden gelse bunu tek başına değiştirmek isterdi, ama yapamazdı. Bu çok büyük bir planın ilk aşaması gibi duruyordu.

Einckhorff, CIA'in en güvendiği birkaç adamdan birisiydi, aslında kendisinden beklenen raporun nasıl yazılması gerektiğini biliyordu merkezdekiler. Bu raporun önemi de yoktu fazla ama gerçekten bilmek istedikleri detaylar vardı.

Einckhorff, raporu olumsuz yazmak ve bu oyunu engellemek istiyordu, yapamazdı ama. Yapabilecekleri sınırlıydı. Bunları yapacaktı, hiç çekinmeden.

Raporun birkaç sayfasını bitirmişti ki telefon çaldı. Telefonu açtı ve kimin aradığını dinlemeden konuştu:

"David, beni hemen aramamanı söylemiştim."

Onu CIA Direktörü Richard Helms'den başka kimse arayamazdı. İstanbul'a gelirken konuşmuşlardı bunu.

"Hah ha ha.."

Einckhorff, telefondan gelen gülme sesi kulaklarına çarptığı andan itibaren donup kaldı.

"Bu sen olmazsın... Bu telefon numarasına ulaşmış olamazsın..."

"Einckhorff, bana bak, seni ben eğittim. Ve sana her şeyi öğretmedim, yapamayacağım bir şey yok..."

"D-Day, bunu, bunu nasıl yaptın..."

"Bak Einckhorff, Alman gizli servisi senin sandığından daha derinlere sirayet etmiş durumda."

"Bunu daha önce söyleseydin inanmazdım belki ama bunu da yapabildikten sonra artık sana bütün kalbimle inanıyorum. Tanrım, gerçekten sevindim buna..."

"Michael, hazırlamakta olduğun raporun bir kopyasını otel odanda bırakıyorsun, tamam mı?"

"Peki bırakırım ama bu riskli olmaz mı?"

"Hiç düşünme bunu..."

"Kahretsin D-Day, beni izletiyorsun değil mi?"

"Michael, bunu yapmayacağımı mı sanıyordun, en önce senin güvenliğin için."

"Sakın bana MİT'in de işin içinde olduğunu söyleme."

"Hayır, henüz değiller ve büyük ihtimalle de olmayacaklar ama Türklerin kurduğu bir gizli örgüte bu dosyayı aktarmayı düşünüyorum. Kendilerine Gri Takım diyorlar. Bunların bazılarını tespit ettik, bunlardan birisine dosyayı vereceğim. Bunu yapmak zorundayız. Amerikalıların kolay iş çevirmesini istemiyorum ve eğer bu bir dövüş olacaksa adil bir dövüş olmalı, hah hah ha!"

"Gri Takım mı? Kim bu adamlar, garip bir isim."

"Milliyetçi bir Türk yer altı örgütü. Bu konuda fazla bilgi de yok zaten. Aslına bakılırsa sıradan bir yeraltı örgütü ama yurtdışı kolları zamanında çok genişmiş. Şimdi yurtdışında pek az ajanları var, birisi Gökhan Birdağ diye orta yaşlı bir ajan. Fransa'da Frank Consal takma ismiyle hayatını sürdürüyor. Dosyayı buna vermeyi düşünüyorum, Türkiye'ye dönüp bu dosyayı bir yerlere ulaştırmasını istiyoruz."

"Tanrım, bu çok tehlikeli, eğer adam profesyonel değilse bizimkilerin bağlantılarına rastlayabilir ve bu onun için hayatın sonu olur."

"Bu tehlikenin farkındayım, bir başka seçenek daha var. Bir başka Gri Takım üyesi, Amerika'da yaşıyor. Mert Han diye bir genç. Çok yetenekli bir savaşçı olduğunu öğrendik. Henüz yirmi sekiz yaşında ve pek çok özelliği var, bilgisayar bilimlerinde uzman, en az dört yabancı dili konuşabiliyor. Üstelik Asya ve Ortadoğu kültürleri konusunda doktora yapmış. Her çeşit silah konusunda özel uzman olarak yetiştirilmiş. Şu anda uyuyan bir ajan, hemen hemen hiçbir görev verilmemiş ama zaman zaman ortadan kayboluyor. Sanırım eğitim için."

"Neden dosyayı ona vermeyi düşünmedin?"

"Onu ben istiyorum, genç ve yetenekli. Gri Takım'ın kurucusu Kurt denen yaşlı bir adam var. Onunla temasa geçeceğim. Mert Han'ın içinde olduğu ortak operasyonlar önereceğim. Bu nedenle Mert Han'ı tehlikeye atmak istemiyorum."

"Bunu kabul edeceklerini düşünüyor musunuz?"

"Bilmiyorum, Amerikan operasyonu uygulamaya konduğunda Mert Han'a bir görev verirler mi, ama sanmıyorum yeterince meşgul olacaklar."

"Peki D-Day, bu arada gerçek ismini öğrenmeyi çok isterim. Takma ismindeki Amerikan hayranlığı belli oluyor, hah ha, ha..."

"Belki öğrenirsin bir gün... Bir şey soracağım, operasyonun esas sahibi belli mi?"

"Belli, ancak benim bildiğim, bunun ikinci aşamasındaki kişi. O da Adrian III. Lynam denen birisi, ancak onu yönlendiren bir başka isim var. Fakat o isme ulaşmak kolay değil sanırım. Dünya şebekesinden birisi büyük ihtimalle."

"Lynam ismini biliyorum, uğursuz bir isimdir. Tam bir kukla denebilir. Maden için annesini bile öldürebilecek birisi."

"Eminim bu operasyonun altından maden çıkacak."

"Buna şüphen olmasın, bor madenleri ile ilgili çalışmaları var. Ama biliyorsun bu sadece görünürdeki sebeplerden birisi. Gerçek nedeni bulmak zorundayız."

"Gerçek neden üzerine ancak spekülasyon yapabiliriz. Fakat şunu söyleyebilirim, bu operasyonu yürütenler, Türkiye'yi idare etmek istiyorlar. Hem de klasik yönlendirme yolları ile değil. Doğrudan idare etmek."

"Bu çok ilginç işte. Doğrudan yönlendirmek derken neyi kastediyorsun? Bu konuda bilgi var mı elinde?"

"Pek çok bilgi kırıntısı desem..."

"Sanırım senin bilgi kırıntılarının ne kadar çok bağlantıyı ortaya çıkarttığını unuttun. Çok mütevazısın."

"Teşekkür ederim. Ama sana bahsettiğim şey gerçekten çılgınca. Amerikan idare sistemini aşan bazı güçler var, Lynam'ın patronları. Siyaseti umursamayıp sadece parayı yöneterek dünyayı idare edebileceğini bilenler. Siyasete de bulaşmak istiyorlar ama bunu yaparken kendi stillerini kullanacaklar."

"Bana birkaç ipucu daha verirsen buna çok sevinirim."

"Sakın bayılma ama. Sanırım gelecekte Türkiye'yi yönetebileceklerden birisini kaçırıp beyin yıkama operasyonu yapacaklar. Ve onun serbest bırakıp istediklerini yapmasını izleyecekler."

"Tanrım, bu çılgınlarla aynı dünya üzerinde yaşamak... Bunu neden yapmak istesinler ki?"

"Şunu çok iyi biliyorlar, III. Dünya Savaşı'nda kazanmak için bu bölgenin tüm kontrolüne sahip olmaları lazım. Türkiye her şeyin kilidi, onu elde etmek istiyorlar. Ama bilmiyorum, bilemiyorum."

"Evet, haklısın, her şey III. Dünya Savaşı'na yapılan hazırlık aslında. Tüm bu bölgedeki kaosun nedeni de. Herkesin gözleri buradaki çatışmaların üzerindeyken, bir de bakacaklar ki, hiç hayal bile edemedikleri bir çatışma çıkmış ve bütün dünyayı etkisi altına almış."

"D-Day sana bir şey söylemek istiyorum, III. Dünya Savaşı'nda nükleer silahların kullanılacağı neredeyse garanti gibi, ama bunu engelleyecek bazı silahlar üzerinde çalışılıyor. Ancak o kadar gizli ki, oradan İsrail bile bilgi sızdıramaz."

"Bunu tahmin ediyorum, büyük savaşta nükleer silah kullanılması kaçınılmaz, hatta sizinkiler birkaç nük yemeyi göze almışlardır diye tahmin ediyorum."

"Evet, bunu göze alıyorlar, birkaç milyon kayıp vermeyi göze alıyoruz sanırım, ama bunu karşılığının ne olacağını tahmin edebilirsin herhalde."

"Aa tabii ki, en az birkaç ülkenin tamamen yok edilmesi, değil mi?"

"Saymadım D-Day, ama Kuzey Kore'nin durumunun iyi olacağını sanmam."

"Peki ya Çin?"

"Bence Çin için farklı bir plan var. Sadece nükleer silahla onlara bir şey yapamazlar. Zaten bu sorunun cevabı bulunmuş olsaydı, büyük ihtimalle uygulanmış da olurdu."

"İşler çok karışacak..."

"D-Day, bence kapatalım, bu hattın dinlenme ihtimali çok yüksek."

"Merak etme, biliyorum, ama şu an devrede olan karıştırıcının bu ihtimali sıfırın da altına düşürdüğüne emin olabilirsin."

"Sana her zaman güvenebileceğimi biliyorum."

Hat kapandı. Einckhorff hâlâ olayın etkisindeydi. Bu beklenmedik telefon konuşması nedeniyle deneyimli ajan allak bullak olmuştu.

D-Day onun hocasıydı, çok garip ve esrarengiz bir insandı. İnanılmaz gizli servis bağlantılarını ustalıkla ve uzun yıllar süren çabalarla kurabilen birisiydi. CIA'i delik deşik etmişti. Alman istihbaratı, CIA'in hemen hemen her kademesinden bilgi alabiliyordu. Ama bütün bu bilgi kaynakları birbirinden bağımsız hareket ediyordu. Michael, bu nedenle neredeyse bir paranoyak olmuştu. Şirket içinde kimin kendisi ile beraber D-Day için çalıştığını bilmiyordu. Zaten CIA'e girmesini sağlayan da D-Day'in şirket içindeki bağlantılarından birisiydi, Air America'yı kuran adamın oğlu sayesinde girebilmişti örgüte.

Şu Kurt denen adam da neyin nesi, diye düşündü. Bu da bir başka D-Day vakası olmalıydı. *Mutlaka o da saygı duyulacak birisidir,* diye geçirdi içinden.

Michael Einckhorff, raporu bitirmişti. Önünde duruyordu işte. Satırlara göz gezdirirken aslında yaptığı şeyin ne olduğunu biliyordu.

"METAL FIRTINA" operasyonu için uygundur yorumu yapılan bir rapordu bu. Einckhorff, bunu yapması gerektiğini biliyordu, dünya politikasının gereğiydi ve aynı zamanda suçsuz tarafa yardım edeceği için de vicdanı rahattı.

Raporun ilk satırlarında genel olarak ülke değerlendirmeleri vardı.

"Genç kesimin önemli bir bölümü yurtdışında yaşama hayalini kurmaktadır ve iyi bir imkân tanındığı takdirde başka bir ülkede yaşamaya başlayacakların oranı yarıdan fazladır."

"Amerika'nın iletişim faaliyetlerine etki edebilme potansiyeli inanılmaz ölçüdedir. Medya kolay etkilenebilmektedir ve Ba-

tıcılık bir çeşit ideoloji halini almıştır. Bu durum Metal Fırtına operasyonunun psikolojik harekâtlar bölümü ile ilgili olan kısmında bir hayli rahatlama yaratacaktır."

"Atatürk'ün Batı medeniyeti seviyesine ulaşma hedefini içeren toplumsal mesajı, Amerikan bağlantılı düşünce merkezleri tarafından başarılı bir şekilde Batı'nın safında olma hedefi haline getirilmiştir."

Ve böylece sürüp gidiyordu rapor. Pek çok detay, askeri birliklerle ilgili bilgilerin teyitleri, devlet binalarının yerleri ve gerçekleşen değişikliklerin haritalara yansıtılması gibi pek çok alt başlıkla devam ediyordu.

Einckhorff, dosyayı hazırladı ve bilgisayarından internet yoluyla CIA'in Langley'deki merkezine yolladı. Sonra hızla otelden çıktı ve bulabildiği ilk internet kafede bir nüshasını bastırdı. İnternet kafeyi işleten çocuk, anlamadığı dilde yazılmış olan dosyaya baktı, hatta okumaya çalıştı ve sonra gülerek turist görünümlü adama uzattı.

Michael, gülmemek için kendisini zor tutmuştu. Acaba o çocuk, elinde tutup okumaya çalıştığı dosyanın ülkesinin işgali ile ilgili olduğunu anlasa ne yapardı?

Ankara 2005

Barkın Çağlayan, yağmurun topraktan söküp aldığı kokuyu derin derin içine çekti. Beton binaların arasından fışkıran yeşillik adalarının en güzel yanı, suya kavuştukları zaman çıkan koku nedeniyle, insanı gündelik hayatın boğuculuğundan kurtarmasıydı.

Sabah altıda uyanmıştı, aceleyle tıraş olduğu için yüzünün kimi yerlerinde kızarıklar oluşmuştu. Bunu önemseyecek zamanı yoktu. Sabahın köründe çalan telefon, yeterince uyku açıcı etki yaratmıştı doğrusu. Hızla hazırlanıp evden fırlamış, kravatını bağlamaya yolda devam etmişti. Her zaman yaptığı bir şeyi, genç karısı Hale'yi uyandırıp öpmeyi bile unutmuştu. Ona kapının ucundan öylece bakıp, bir ceylan kadar sakin nefes alan bedenini seyretmekle yetinmişti. Bu, günün geri kalan kısmı için yeterli gücü verirdi ona.

Yüzüne, gözlüğüne ve elbiselerine sıçrayan su, dalgınlığını alıp götürdü bir anda. Pantolonuna baktı, her yanı küçük çamur tanecikleri ile dolmuştu. Buna neden olan taksinin arkasından bakıp bir küfür salladı. Çamur damlacıkları siyah deri çantasına da bulaşmıştı.

Bir sonraki taksiyi durdurdu, dikkatli olmaya çalışarak arabanın arka koltuğuna atıverdi kendisini. Cebinden çıkarttığı mendille yüzünü ve gözlüğündeki çamur damlacıklarını silerken taksi şoförü ile göz göze geldi. Yağmur tekrardan hızlanmaya başlamıştı. Pencereden dışarıya baktı, kalabalık yoğunlaşıyordu gitgide. Otobüs durakları dolmuştu; takım elbiseli, bıyıklı insanlar çoğunluktaydı. *Ülkenin kalbi atmaya başlıyor,* diye düşündü.

Ankara'nın yaşadığı tipik bir kış sabahı. Ağır bulutların altında, beton binaların kasvetli odalarına kapanmış bir şehir; yavaş yavaş kendisine gelmeye ve hayat gailesine düşmüş insanların dertlerine çare bulmak için enerjisini toplamaya uğraşıyordu.

Siyah deri çantasını açtı, aceleyle hazırladığı için dosyalar birbirine girmişti, Dışişleri'ne gittiği zaman düzeltirdi. Kapattı hemen çantayı. Sabah arayan amiri Dışişleri Bakanlığı Bürokratlarından Yasin Erkul'un söylediklerini tekrar zihninden geçirdi. Yasin Bey'den telefon alınca Barkın da sekreteri aramıştı; büroya ulaştığında deneyimli kızın istenen evrakları hazırlamış olması gerekiyordu. Bütün detayları tek tek aklından geçirmesi onun en önemli özelliğiydi. Hiçbir adımda tökezlememeliydi Barkın, hayatını böyle yaşamaya alışmıştı.

Taksinin ani freni ile sarsıldı, kendisine gelip etrafına bakındı, siyah tabeladaki altın sarısı renkli Dışişleri Bakanlığı yazısı çarptı gözüne. Parayı ödeyip hızla araçtan indi. Tam kendisini kaldırıma atmıştı ki hızla ters yönde yürüyen bir kızla çarpıştı. Kızın taşıdığı kitaplar neredeyse çamurun içinde düşecekti. Üniversitedeki dersine yetişmeye çalıştığı belli olan uzun saçlı kız çatık kaşlarıyla Barkın'a bakarak uzaklaştı hemen.

"Hay ben böyle şansın!" Cenabet bir gündü.

Kapıdaki polislere yarım yamalak selam verip merdivenlere yöneldi. Binanın içi, yeni demlenmiş çay ve su buharı kokusuyla kaplıydı. Floresanların loş ışıkları nedeniyle, koridorlarda koyu bir sabah karanlığı hakimdi. Kalorifer radyatörlerinden usulca yükselen sıcaklık, henüz binanın tamamına sirayet etmeye zaman bulamamıştı. Yüzlerce küçük pencereden içeriye soğuk sızıyordu, sinsi sinsi.

İkinci kattaki küçük ofisine adım atar atmaz sekreterin sesini duydu. Boğazını temizler gibi çıkmıştı sesi, belli ki uyandığından beri sigara içiyordu.

"Barkın Bey, dosyalar hazır, masanızda."

"Teşekkür ederim Sinem Hanım. Bugün de sabah sabah..."

"Evet, işte bu işin zorluğu da bu."

Sekreterin yüzünden uyku akıyordu. Aceleyle evden çıktığı, gömleğini, eteğinin arkasına zorla tıkıştırmasından belliydi. Barkın masasının başına gidip dosyaları inceledi. Hepsi tamamdı. Yasin Erkul gelince bu dosyalarla toplantıya girebilirdi. Masasına kurulup küçük radyoyu açtı. Kanalları tek tek dolaştı ve haberlerin olduğu yerde durdu, radyoyu masanın en uç kısmına yerleştirip dosyaları okumaya koyuldu. Bir gün önce içilen sigaraların kokusu ofisi terk etmemişti. Midesi kalktı, bunu gidermek için bir sigara yaktı, birazdan çayı da gelirdi.

Dosyaların pek çok ayrıntı ile dolu sayfalarını çevirirken dikkatsizdi. Kıbrıs'ın tarihçesi, Ada'daki Türk nüfusun savaş öncesi ve sonrasındaki yapısı ile ilgili bir çalışma metni, sınırdaki küçük bir çatışma ve olayı başlattığı iddia edilen Türk askerlerinin ifadelerini içeren bir başka dosya, olayda kaybolduğu ya da öldürüldüğü iddia edilen 12 Rum askerinin adları ve aileleri tarafından Avrupa İnsan Hakları Mahkemesi'ne yapılan dava başvurusu ile ilgili olarak Mahkeme ile Dışişleri Bakanlığı arasındaki yazışmalar, Dışişleri'nin davanın gelişimi hakkında Başbakanlığa verdiği bilgilendirme notlarının kopyaları vs.

Hepsi bir araya geldiğinde koca bir kütle meydana getirmişti. Tozlu raflardan alındıkları belliydi, sayfaları karıştırırken boğazında acı bir tat oluştu, sigara ile karıştığında iyice yakıyordu.

Yanmanın etkisiyle gözleri ıslandı, o sırada çaycı, elindeki tepsiyi sallayarak odaya girdi. Yüzünde her sabah alıştıkları yayvan gülümseme vardı. Ağzının kenarından sabah sigarası sallanıyordu, amirler gelmeden içilen son sigaraydı bu.

"Halim Abi, tam zamanında yetiştin, boğazım yanmaya başlamıştı."

"Bu benden Barkın Bey, keyfine bak, erken gelmişsin. "

"Öyle oldu. Acil bir toplantı varmış, Kıbrıs'taki davalarla ilgili sanırım."

"Yine mi? Adam olamadı şu pezevenkler. Ulan şeytan diyor, bakma kimseye, yürü de askere. Bir işler dönüyor ama bilmiyorum, senden başka erken gelenler de var."

"Artık olmaz öyle şeyler Halim Abi, onlar eskide kaldı."

Halim, Barkın'a buğulu gözlerle baktı, boş konuşmuyordu.

"Ne değişti Barkın Bey? Hiçbir şeyin değiştiği yok. Her şey daha kötüye gidiyor, farkında değil misin?"

Tepsisini sallayarak odadan çıktı. Sekreter Sinem kendi halinde, masanın üzerinde bir şeyler kurcalıyordu. Dünyayla hiçbir ilişkisi yoktu. Barkın dosyalara bakmaya devam etti, toplantının konusunu çıkarmak zor değildi. Kayıp ve ölü Rum askerlerinin ailelerine büyük ihtimalle yüksek miktarlarda para ödenecekti. Kaldı ki Rum askerlerinin öldüğü yerde Türk askeri olma ihtimali yoktu. Pis bir koku seziliyordu olayda.

Saat sekize geliyordu. Koridorlarda ayak sesleri artmıştı. Bu durum ilgisini çekti, sanki her birimde acil bir toplantı havası vardı. Barkın ofisin dışına çıkıp etrafına bakındı, tanıdık birkaç arkadaşına selam verdi ve içeri girdi. Yapacak fazla bir şeyi yoktu. Birazdan amiri gelir ve onu telefonla odasına çağırırdı.

Sinem'in yanındaki pencerenin kenarına gelip dışarı bakmaya koyuldu. Yağmur iyiden iyiye hızlandığı için etrafı görmek kolay değildi. İnsanların yağmurdan sığınmak için bir saçak altı aramasını seyretti. Yağmurdan korunacak bir sığınak bulmak, Ankara'da. Düz, komünist Rusya modeli devlet binaları ile doluydu her yer. Radyoda sekiz haberleri başladı, rüzgârın pencereyi çarpması ile ortaya çıkan sesten tüyleri ürperdi, soğuğun görüntüsü bile buna yeterliydi. Bacaklarını, iyiden iyiye ısınmış olan kalorifere dayayıp haberlere kulak kabarttı.

"Irak'taki Amerikan birliklerinden 2. Zırhlı Piyade Tugayı, Suriye sınırı yakınlarında konuşlanmak üzere harekete geçti. Irak Cumhurbaşkanı Talabani, Suriye Yönetimi'nin gerçek niyetlerini ortaya koymak zorunda olduğunu ve Irak'taki Baasçı terörist faaliyetlere yataklık etmemesi gerektiğini yakında anlayacağını belirtti."

Barkın'ın kulakları radyodaydı ama bu haberlere o kadar alışmıştı ki, sağır gibi dinliyordu. Ortalık gergindi, Suriye Devlet Başkanı Esad görevi babasından devraldıktan sonraki dönemde sürdürdüğü sakin ve barışçıl politikadan vazgeçmişti. İktidarını koruma endişesi duyuyordu, Amerika destekli olduğu iddia edilen grupların faaliyetleri nedeniyle kendisini hiç güvende hissetmiyordu. Neredeyse her hafta, Suriye Gizli Servisi'nde başka bir alarm durumu yaşanıyordu. Esad'a karşı muhtemel suikast haberleriyle ilgili bilgiler yağıyordu. Bu nedenle Esad'ın diken üstünde oturduğunu söylemek hiç de yanlış sayılmazdı.

Yağmur damlaları cama çarpıp oradan aşağı süzülüyordu, önce sert biçimde cama vuruyor, sonra sanki bütün sinirleri boşalmışça, camdan aşağıya alımlı bir kız gibi nazlı nazlı iniyordu. Bakanlık iyiden iyiye hareketli. Farklı bir gün olduğu kesindi. *Hızlı başlayan gün çabuk biter*, diye düşündü. Hem bu yağmurlu havada ofisin içinde durmak insana zor gelmezdi.

Kapı açılınca arkasına baktı. Çaycı Halim gelmiş, boşu topluyordu.

"Halim Abi, bir çay daha alayım."

Halim gülümsedi, iki dakika sonra sıcak çay masasındaydı Barkın'ın. Sırtını sandalyeye verip ayaklarını uzattı, soğuk havanın görüntüsü nedeniyle ürperen tüyleri, çayın sıcaklığıyla sakinleşti, tatlı bir rahatlama kaslarına yayıldı.

Telefon çaldı. *Tam zamanıydı,* der gibi yüzünü ekşitti Barkın. Telefonun ahizesini kulağına dayadı ve sadece "Buyrun," dedi. Sekreter köşeden konuşmayı izledi. Barkın, amirinden direktifleri alırken sadece başını sallıyordu. En sonunda "Hemen efendim," dedi. Konuşma kısa sürmüştü, hızla yerinden kalkıp dosyaları toparladı. Koridora çıkınca Bakanlıkta çalışan pek çok bürokrat yardımcısının benzer şekilde ellerinde dosya yığınlarıyla amirlerinin odalarına gittiklerini gördü. Kıbrıs'ı takip etmekle görevli Dışişleri Bürokratı Yasin Erkul, Barkın içeriye girdiğinde ayakta bekliyordu. Bir hayli gergin bir görüntüsü vardı. Yasin Erkul'u uyandıranlar ona, onun Barkın'a verdiğinden daha güçlü bir uyandırıcı vermiş olmalıydı.

"Barkın, bütün dosyalar tamam mı? Bakan Bey birazdan buraya gelecek ve acil bir toplantı yapacağız. Bakanın Kalem Müdürü sabah beni aradı, sesi hiç iyi gelmiyordu. Ne olduğunu bilmiyorum ancak henüz benim de bilmediğim bazı gelişmeler var sanırım. Suriye ile Amerika arasındaki ilişkilerin her an bir savaşa dönüşmesinden korkuluyor gibi."

Barkın şaşkın bir ifadeyle Yasin Erkul'u izliyordu.

"Evet ama bu konunun Kıbrıs'la ne ilgisi var?"

"İşte benim de anlamadığım ve bu toplantıdan öğrenmeyi umduğum şey bu."

Barkın parçaları bir araya getiremiyordu. Yüzü bu ifadeyi olabildiğince yansıtmış olmalıydı ki Yasin Erkul, gülerek omzuna vurdu.

"Merak etme, yeni olduğun için böyle olaylara alışık değilsin. Bu kadar kapsamlı bir toplantı yapılmasının nedenini anlayabilmiş değilim ama bunun hiçbir önemi olmayabilir ve hatta bu kadar hazırlık sonunda, bu toplantıyı bir tek kelime bile etmeden sonlandırabiliriz. Ama her şeye karşın hazırlıklı olmalıyım. Yardımın için sağ ol!"

"Ne demek efendim, görevimiz."

Yasin Erkul, dosyaları kolunun altına sıkıştırıp en üst kattaki toplantı salonuna gitmek üzere odayı terk etti. Barkın, ofise dönüp çayını içmeye devam edebilirdi. *Soğumuş olmalı,* diye düşündü. Dönerken ocağa uğradı, Çaycı Halim orada değildi. Koridor boşalmıştı. Derin bir sessizlik vardı. Soğuk, gerçekçi ve sıradan bir sessizlik, bu nedenle de biraz ürperticiydi.

Toplantının bitişinde Barkın yine koridordaydı. Dışişleri Bakanı Abdullah Gül ve bürokratlar bir arada merdivenlerden hızla iniyorlardı, hepsinin yüzünde koyu bir ifade vardı. Genel olarak gelişmelerden hoşnut olmadıkları belliydi.

Abdullah Gül'ün yüzündeki ifade Barkın'ı görünce değişti. Diğerlerine biraz beklemelerini söyleyip onun yanına geldi. Gül, Barkın'ın babasının iyi bir dostuydu. Zaman zaman Hale ve Barkın, Abdullah Gül'ün evine akşam yemeğine giderdi.

"Nasılsın Barkın?" dedi Abdullah Gül, yüzündeki sıkıntılı ifadeyi saklamaya çalışıyordu.

"İyiyim Sayın Bakanım, sizi biraz sıkıntılı gördüm."

"Evet Barkın, sıkıntılıyım, Yasin zaten size anlatır durumları da. Pek iç açıcı değil bazı şeyler. Bürokratlardan oluşan bir ekip hazırladık. Uzun bir yolculuğa çıkmam gerekebilir."

"Hayırdır Sayın Bakanım..."

"Hayırdır inşallah. Görüşürüz, Hale'ye çok selamlarımı ilet."

"Baş üstüne efendim."

Abdullah Gül, Barkın'ın yanından ayrılırken son bir kez dönüp baktı. Barkın garip bir duyguya kapıldı. Neden ona öyle bakmıştı, sanki bir son bakışı andırıyordu. Bu düşünceleri aklından çıkarıp atmak istedi hemen. Hava, böyle kötü şeyler hissetmeye çok müsaitti.

METAL FIRTINA SIRASINDA...

27 Mayıs 2005

Çatışmanın şiddeti gitgide artıyordu. Amerikan askerlerinin bulunduğu alan Türk askerleri tarafından çevrilmişti. Sekiz ya da on kişiydiler. Büyük ihtimalle gitmeleri gereken yolu kaybetmişler ve bir anda kendilerini Türk askeri birimlerinin arasında bulmuşlardı. Bir köy evi ve evi çeviren ağaçlıkların arasında kısılmış kalmışlardı. Her biri iyice kamufle olmuş ve eli tetikte hazır bekliyordu. Türk askerleri birazdan saldırıp bölgeyi ele geçirecekti ama Amerikalı askerlerin yanında bir sivilin bulunma ihtimali nedeniyle birkaç top mermisi ile işi halletmiyorlardı.

Türk askerleri, üsleri bombalandığı için arazide yatıp kalkıyorlardı, Hatay'daki Jandarma Komando Tugayına bağlıydılar. Ortalık çok karışıktı. Her saniye kulaklarını yırtan bir savaş uçağının ya da seyir füzesinin sesini duyuyorlardı.

Takım komutanı Asteğmen Can, yerde sürünerek ağaçlığa yaklaşmıştı. Amerikalı askerlerin nerede saklandığını görmeye çalışıyordu. Her şey birden gelişmişti. Takımı özel operasyon yapacak kadar deneyimli değildi. Eğer bir hata olursa hem kendi askerleri hem de siviller hayatlarını kaybedebilirdi. Bunu engellemeye çalışıyordu.

Birden Can'ın kafasının yanından bir mermi geçti. Ve mermiler ardı ardına üzerine yağmaya başladı. Son anda bir kaya parçasının arkasına geçerek canını kurtarabildi.

"Buradalar, saklanıyorlar! Ateş etmeyin! Onlarla konuşmaya çalışacağım."

Can, bir süre sessizliğe büründü.

"Yanınızda sivil var mı?" diye bağırdı Amerikan askerlerine. Cevap yine mermi olmuştu. Onların çok korktuğunu anlayabiliyordu, ölümün merkezindeydiler ve etrafları sarılmıştı. Açıkçası bu kadar hızlı gelişen bir operasyonda esir alınma ihtimallerinin pek olmadığını düşünüyor olmalıydılar.

Bu riski almalı mıyım, diye geçirdi içinden. Yanlarında sivil olduğunu düşünmüyordu artık, olsaydı eğer onu kullanmaya çalışırlardı. Üstelik bu askerlerin, ana birlikten yanlışlıkla ayrılmış ve yolunu kaybetmiş basit bir gözetleme timi olduğundan şüphesi yoktu.

Karar vermek üzereydi, basitçe işlerini bitirmesi yeterliydi. Sürünerek diğer askerlerin yanına geldi. Hepsi atmaca gibi hazırdaydılar. Astsubay Rafet, Can Asteğmen'in yanına geldi.

"Komutanım, bu askerlerin atış kabiliyetleri çok yüksek. Bunlar normal asker olamaz. İyi de siper alıyorlar, yoksa şimdiye kadar çoktan vurmuş olurduk teker teker onları."

"Haklısın galiba astsubayım, bu adamları canlı ele geçirmeyi isterdim, ama sanırım yapabilecek fazla bir şey yok. Söyle askerlere, roketatarlarla o alanı yok etsinler..."

Astsubay beklediği cevabı almıştı, yaşının getirdiği deneyim, bu çatışma uzarsa kendi askerlerinden birisinin canının yanabileceğini söylüyordu. Bunu engellemesi gerekiyordu Genç Asteğmenin, Astsubay Rafet'in deneyimine önem vermesi şanslarını artırmıştı.

Erler roketleri hazırladılar ve alanı gözetlemeye başladılar.

Doğru anda ateş ederek bir seferde işlerini bitirmek istiyorlardı.

Asteğmen Can, erlerin işini kolaylaştırmak için sürünerek az ilerideki kaya parçasının yanına gitti. Arkasına dönüp baktı önce, herkes nişan almıştı, sonra hızla başını kaldırıp tekrar eğdi. Neredeyse vuruluyordu. Amerikalı askerler, yakınlarına sokulan bu tehditten kurtulmak için ateş etmeye başladılar. Ancak artık daha az ateş ediyorlardı; bu, mermilerinin bitmek üzere olduğunu gösterirdi.

Amerikalı askerlerin ateş etmesi ile yerleri bir kez daha belli olmuştu. Bu, roketlerin nişangâhından avlarını izleyen askerler için iyi bir fırsattı.

Askerler roketatarların tetiğine dokundu. Beş roket, ağaçlık ve evin olduğu alana doğru fırladı ve büyük bir gürültüyle patladı. Hemen arkasından makineli tüfek ateşiyle bölge tarandı.

Can Asteğmen, ateş kes, diye bağırdı. Bütün silahlar sustu o anda. Can tekrar başını çıkardı ama bu sefer mermi sesi duyulmadı. Sürünerek ateş açılan yere doğru gitti. Hâlâ tehlikeliydi orası ama birisinin gidip bakması gerekiyordu.

Ağaçlık alana yaklaştığında hâlâ ses gelmemesi kendileri için durumun iyi olduğunu gösteriyordu. Ağaçlardan bazıları yanıyordu, Can ateş edilen bölgeye ulaştıktan sonra ayağa kalktı. Askerleri ve astsubayı onu dikkatle izliyordu. Her an ölebilirdi Can, yaralı bir Amerikalı onu vurabilirdi kolayca.

Ancak ses gelmedi hiç. Diğer askerler de Can'ın yanına koştular. Roketlerin etkisini görebiliyorlardı şimdi. Orada burada ölü bedenleri görebiliyorlardı. Askerler hızla Amerikan askerlerini ortaya topladılar. Tam yedi kişiydiler. Can dikkatle hepsini incelemeye başladı.

Daha ilk andan bunların sıradan askerler olmadığını anladılar. Üzerlerindeki bazı teçhizatı görmek bir yana herhangi bir yerde adının geçtiğini dahi duymamışlardı. Hatta, bu teçhizatın ne işe yaradığını bile anlamamışlardı. Askerlerin bedenlerinde nerdeyse hiç kanama yok gibiydi. Patlayan roketler nedeniyle ölmüşlerdi ama giysileri kanamayı azaltıcı etki yapıyordu. Kasklarında çok fazla kablo ve iletişim aracı olduğunu fark ettiler.

Can dikkatle askerlerin kolyelerini aradı ama kolye yoktu. Kolye olmadığı gibi askerlerin üzerinde hangi birliğe bağlı olduklarını gösteren bir delil de yoktu. Artık bu adamların asker olduğundan bile şüpheliydiler.

Astsubay Rafet, Asteğmen Can'ın yanına geldi.

"Bu adamların asker olduğundan emin değilim. Askere benziyorlar, ama böyle asker olmaz. Birisi sakallı, birisinin silahı normal piyade silahı değil. Ya özel kuvvet askerleri bunlar ya da paralı asker."

"Haklısın Rafet, bunların burada ne işi var sence?"

"Ben esas Amerikan kuvvetlerine bağlı olduklarını düşünmüyorum. Kendi başlarına bir haltlar karıştırıyorlardı bence."

Erlerden birisi koşarak yanlarına geldi. Elinde büyük, gri, metalik bir çanta vardı.

"Bunu evde buldum komutanım."

"Aferin, bu ne böyle, bi' bakalım."

"Dikkat et istersen Can Asteğmenim, Allah muhafaza.."

"Yok Rafet, bir şey olmaz..."

Can, yavaş hareketlerle çantayı açtı. Kilitli olmaması garipti. Demek ki, bu çantanın birilerinin eline geçeceğini düşünmemişlerdi hiç.

Bir sürü kâğıt tomarı vardı çantanın içinde, hepsi dikkatlice rulo yapılmış ve naylon poşetlerin içerisine konulmuştu. Bantlarla birbirine tutturulmuş ve çantanın içine düzenli bir şekilde yerleştirilmişti.

Hemen plastik torbaları açtılar, kâğıt tomarları saçıldı etrafa. Can kâğıtları okumaya başladı. Okudukça gözleri açılıyordu. Astsubay onun bu halini görünce çok meraklanmıştı. Erler de başına gelmiş, Asteğmenlerini izliyorlardı.

Can askerlere döndü:

"Etrafın güvenliğini sağlayın lan, ne bakıyorsunuz öyle?"

Bu sözler üzerine erler aniden dönüp uzaklaştılar oradan. Evin etrafında ve ağaçlıkların arasında siper aldılar.

Can kâğıtlarda yazan şeyleri bir araya getirmeye çalışıyordu. Bir çeşit görev bilgisi içeriyordu kâğıtlar ama bunu tam olarak çözmesi mümkün değildi. Hayli profesyonel bir istihbarat görev bildirge çantasıydı. Son derece detaylı teknik bilgiler, koordinatlar, uydu yer belirleme bilgileri bulunuyordu.

Plastik çantalardan bir tanesindeki kâğıtlar hayli ilgisini çekmişti. Diğerlerini tamamen bir kenara bırakmıştı Can, Rafet iyice meraklandı.

"Can Asteğmenim, nedir o öyle, diğerlerini bıraktın, bu kâğıtları okumaya başladın?"

"Rafet, bu çok garip. Bu adamlar bir çeşit askeri istihbarat timi. Her bir plastik torbada istihbarat toplamayla ilgili bilgiler falan var. Ama bu torbadaki istihbarat görevi sonradan iptal edilmiş. Üzeri çizilmiş, herhalde timdeki askerlerden birisi tarafından kurşun kalemle 'iptal edildi' diye bilgi notu düşülmüş üzerine."

"Neymiş o?"

"Adamlara Amerikan ana saldırı birlikleri dışında yollarla Ankara'ya gitme ve Ankara'da Dışişleri Bakanı Abdullah Gül'ü bulma görevi verilmiş. Tam koordinatlarını, kâğıtta yazılı radyo kanalından bağlantı kuracakları görevliye bildirmeleri istenmiş."

"Abdullah Gül mü? Çok ilginç."

"Evet, ondan 'çok önemli görev' diye bahsedilmiş. Hiçbir zarar verilmemesi özellikle not düşülmüş."

"Hay Allah'ım, bu manyaklar ne istiyorlar Bakandan?"

"Bilmiyorum, zaten bunun bir önemi de yok, baksana görev iptal."

"Neden iptal edilmiş?"

"Neden olacak, zaten Abdullah Gül ve bürokratlar Amerika'ya gittiler. En son duyduğum, Gül ve bürokratların Amerika'da esir alındığı yönünde."

"Ama bu adamlar, o oraya gitmese de onu ellerine geçirmek istemişler. Çok şanslılar, hiç uğraşmalarına gerek kalmadı. Bakanımız kendi ayağıyla gitti yanlarına."

"Bu adamlar, Türk Dışişleri Bakanından ne istiyor olabilirler?"

"Bilmiyorum Can Asteğmenim, bu bilgiyi bir yerlere iletmemiz gerekir mi sence?"

"Sanırım iletmeliyiz ama Türk topraklarında hızla ilerleyen bir işgal ordusu varken, bu bilgi üzerine ne kadar düşülür ki? Ama yine de Genelkurmay'a haber vermeye çalışalım. Tabii ulaşabilirsek..."

30 Mayıs 2007

Çatışma bitmiş gibiydi. Sarı saçlı adam geriye kalan paralı askerlerin durumuna baktı. Bulundukları yere o kadar çok havan mermisi düşmüştü ki, yaralanmayan tek bir adamı bile kalmamıştı. Ondan fazla ölüleri vardı ve onları geride bırakmak zorundaydılar.

Yılan, yıllardır hazırlamakta oldukları planının aşamalarını zihninden geçirdi. İki yıl önce Kuzey Irak'taki bir harekat sırasında yakaladıkları Türk askerini Amerika'ya yollamışlardı. Ancak bugünlerde, Abdullah Gül'ün kaçırılması için gereken operasyon iptal edilmişti, çünkü Gül Amerika'ya gitmiş ve orada kendi bürokratları ile beraber esir alınmıştı. Her şey sona ermiş gibi duruyordu ama gerçekler öyle değildi. Askerler arasında "Yılan" ismi ile tanınan sarı saçlı ve yapılı paralı asker durumdan hoşnut değildi. Operasyon bitmiş gibi görünse de aslında bitmemişti. Şimdi yeni bir harekat planlamaları gerekiyorken bir anda kendilerini Türk topraklarında, sıradan Amerikan askerleri ile beraber kanlı bir savaşın içinde bulmuşlardı.

Yılan, bir an önce buradan kurtulması gerektiğini biliyordu.

Bu aptal savaşın içinde ona güveniyorlardı. Gülmek geldi içinden, *bana güveniyorlar ha...* Kendilerine yardım gelmesini bekleyen yaralı adamlarına baktı. Eğer şu an aklından geçenleri bilseler onu bir saniye içinde öldürürlerdi. Oysa o hepsinin ölmesini istiyordu şimdi. Yeni bir plan yapmalıydı ve bu yeni plan için yeni adamlara ihtiyacı vardı.

Yeni operasyon Amerika'da yapılmalıydı, Abdullah Gül, Amerikalı yetkililerin elinde olabilirdi ama bu her nedense kendisine para ödeyen adamları tatmin etmiyordu. Onu istiyorlardı, ama neden?

Yaralı askerlerden birisi yanına geldi:

"Yılan, buradan çıkmak zorundayız, Türkler kötü sıkıştırdı bizi."

"Ne yapmamı istiyorsunuz, operasyon iptal oldu ve burada tıkılı kaldık." Yılan çok sinirliydi ve artık etrafındakileri umursamadığını belli ediyordu. Yaralı asker, durumun farkındaydı ama canını kurtarmaya bakıyordu ve bunu ancak Yılan sağlayabilirdi. Eğer o olmazsa Amerikan piyade kuvvetlerinin komutanları bir saniye bile bakmadan onları ölüme terk ederdi.

"Yılan, bize yardım etme sözü veren İsrail savaş uçağı filosundan yardım isteyelim, belki o zaman biraz nefes alır, kaçma şansı buluruz."

Yılan, adama acıyarak baktı. Onun kurtulma şansı olmadığını biliyordu. Düşman topraklarındaydı ve korkuyordu, cesaretini yitirdiği anda bir askerin yaşama şansı kaybolurdu. Bu kural bunun için de geçerliydi.

"Peki, sen yerine geçip savaşmaya devam et. Ben filoyu yardıma çağıracağım."

Yaralı adam garip bir saflıkla gülerek yerine geçti. Türk askerlerinin bulunduğu yere doğru ateş etmeye başladı. Oysaki Amerikan birliği, savaş hattının çok dışında kaldığı için yakın hava desteği isteyemiyordu; kara birliklerinin yardıma gelmesini bekliyorlardı.

Yılan, bu adamlardan tamamen kurtulmak zorunda olduğunu biliyordu. Sorun çıkarmaya başlamışlardı ve daha da fazla sorun çıkaracaklardı şüphesiz.

Önce GPS uydu yer belirleme sistemini çıkardı ve kendi bulundukları koordinatları belirledi. Yılan bir kez karar verdi mi, bunu mutlaka yapardı ve asla duygulanmaz, eli asla titremezdi. Hızlı davranırdı, ona bu yüzden "Yılan" ismini vermişlerdi ama birazdan kendisine bu ismi verenlere kötü bir sürprizi olacaktı.

Konuşulduğu gibi İsrail filosuna gizlice bilgileri geçti. Hızla siperlerin arasından süzüldü ve açık bir alana çıktı. Çok tehlikeli bir şey yapıyordu. Askerler onun çılgın olduğunu düşünüyordu zaten. Sanki Türk askerlerini arkadan saracakmış gibi hareket ediyordu ama bu kadar çok düşman askerinin olduğu bir yerde bunu yapmak gerçek anlamda bir çılgınlıktı.

Yılan gerçekten de bir miktar ateşi üzerine çekerek bir hayli uzaklaşmıştı. Ancak zamanın kısa olduğunu biliyordu. İsrail filosu bir süre sonra burayı bombalayacaktı. Bekledi, dakikalar boyunca çok tehlikeli bir konumda çatışması gerekti. Birkaç sıyrık da almıştı bu arada.

Derken o an geldi. İsrail uçaklarının çok yakınlarda olduğu haberini alınca gökyüzüne bakmaya başladı. Ancak onları göremiyordu, görmesine de gerek yoktu. Uydu güdümlü bombalarını çok uzak mesafelerden bırakmış olmalıydılar.

Sadece son saniyeden önce bombaların havayı yaran seslerini duydu. Ve sonrasında inanılmaz patlamalar meydana geldi. Üzerine taş, kaya ve insan parçaları yağıyordu.

Yere sıkı sıkıya kapanmıştı Yılan. Başını kaldırdığında artık alışmış olması gereken ama alışamadığı bir yıkım görüntüsü vardı etrafta. Üstelik saldırı devam ediyordu. Türk birliklerinin bulunduğu siperlerin de koordinatlarını vermişti ve oraya da bombalar düşüyordu. Türk askerleri hızla bulundukları siperleri boşaltmaya başlamıştı.

Bu çok iyi, diye düşündü Yılan. Ortalık iyice karışmıştı. Bu karışıklıktan yararlanabilirdi.

Hızla bölgeden uzaklaşırken kendi adamlarının olduğu yere baktı. Yaklaşık bin metrekarelik bir alan harabe olmuştu, kendi adamları ile beraber Amerikan piyadeleri de ölmüştü.

Yılan'ın önünde zor bir yolculuk vardı. Önce düşman hatlarının gerisinde hayatta kalmalıydı. Ondan sonra Amerika'ya dönmeli ve Abdullah Gül'ü, onu çok isteyen patronlarına götürmeliydi. Hâlâ kafasını kurcalayan sorular vardı. Artık olaya sadece para bakımından değil, insanî açıdan da bakmaya başladığını hissetti. Bu profesyonellik namına büyük bir dezavantajdı ama bu son işi değil miydi, belki işi biraz da insan olarak incelemeliydi.

2 Haziran 2007

Amerikalılar büyük panik içindeydiler. Washington'da patlayan bomba bütün altyapıya zarar vermişti. Ancak yine de sistem işliyordu.

Gözetim altındaki Türk Dışişleri Bakanını taşıyan araç hızla Washington bölgesinden uzaklaşıyordu. Bütün devlet binalarının taşınması gibi. Gül ve bürokratlar, büyük bir minibüsün içinde kapalıydı. İçeride silahlı adamlar vardı. Hepsi de CIA'in silahlı özel operasyon birliğinin adamlarıydı.

Araçtaki Türkler sakin olmaya çalışıyordu. CIA yetkililerinin tavırları ise garipti. Sanki birilerinden kaçıyor gibiydiler. Bürokratlardan birisi kimden kaçtıklarını sordu. CIA ajanı Türk bürokratı tersledi ve sesini kesmesini söyledi. Kendi aralarında konuşmaya devam ettiler. Birilerini birilerine teslim edip etmemekten bahsediyorlardı.

"Sana söylemiştim, bizim başımıza kalacak en sonunda diye. Şimdi de bizden almak için uğraşacaklar."

"Ne bekliyordun, resmi bir istihbarat örgütü olarak gayrı resmi ve yarı yarıya suça bulaşmış bir istihbarat kurumunun emrine mi girecektik?"

"Bana baksana, etik kurallardan mı bahsediyorsun? Şu anda uzak bir adada milyon dolarlarını yiyor olabilirdin."

"O adamların kim olduğu bile belli değil. Her yerde içimizdeler ama onları kontrol edemiyoruz. Ve ne tür işler yaptıkları da belirsiz. İnsan kaçakçılığı mı, uyuşturucu kaçakçılığı mı? Ben bu pisliklerden hiçbirisine bulaşmak istemiyorum."

Araç hızlanmaya başlamıştı. Şoför, arka tarafa mikrofondan bir uyarı geçti.

"Yaklaşan araçlar var. Bir tanesi zırhlı bir Humvee."

Bunun üzerine CIA ajanları hemen arka cama yapıştılar.

"Kahretsin, onları istiyorlar."

"Demiştim sana. Verelim gitsin."

"Ya bize ne olacak? Peşimizi bırakacaklarını sanmıyorum. Üstelik ağır silahlı bir tim."

"Hadi oğlum, verelim şu adamları, parayı boş ver, bizi öldürmelerini engellesek yeter."

"Eğer onları verirsek kim bilir hangi amaçlar için kullanacaklar?"

"Bu artık bizim sorunumuz değil."

Türk bürokratlar ve Dışişleri Bakanı birbirlerine baktılar. Neler olacağını bilmiyorlardı. Her şey gelebilirdi başlarına ama sakin olmak zorundaydılar. Panik yapmanın bir anlamı yoktu.

Şoför aynadan ajanların ne karar alacağını anlamaya çalışıyordu. Arka tarafta hararetli bir tartışma oluyordu. Ancak onları takip edenlerin beklemeye tahammülleri olmadığı açıktı. Zırhlı Humvee'deki ağır makineli tüfeğin sesi duyuldu. Gül ve bürokratları taşıyan araç sarsıldı. Camları paralanmış ama parçalanmamıştı. Başka bir silahın sesi daha duyuldu. Ajanlar hemen M-16'larına sarıldılar. Arka camlarda delik açıp takip edenlere mermi yağdırdılar. Karşılığı hemen geldi. Birkaç dakika sonra ajanların hepsi ya yaralanmış ya da ölmüştü. Şoför aracı durdurup aşağı indi ve takip edenlerin durup yanına gelmesini bekledi. Onlara bir şeyler söylemek istediğini duydu bekleyen Türkler. Ancak tek duydukları, iki kesik tabanca patlamasıydı. Yere yıkılan kişinin şoför olduğunu anlamak zor değildi.

Birkaç saniye sonra kapıya şiddetle vurulmaya başlandı. Darbelere dayanamayan kapının kilidi parçalandı. Bürokratlar ve Bakan karşılarında gördükleri adamları incelediler. Az öncekileri tercih ederlerdi.

"Herkes aşağı!" diye bağırıp aşağı indirdiler. Davranışları çok sertti. Az sonra onları idare eden asker görünümlü ama sivil birisinin emriyle daha düzgün davranmaya başladılar. Zırhlı Humvee araca bindirildiler. Değişik bir istikamete doğru yol almaya koyulduklarında, artık geri dönme şanslarının çok azaldığını düşünmeye başlamışlardı.

Uzun süre sarsıntılı bir yolda ilerlediler. Onları kaçıran adamlar hiç konuşmuyorlardı neredeyse. Son derece tehlikeli profesyoneller olduklarına şüphe yoktu. Ancak tam olarak devlet adına çalışıyor gibi değildiler.

"Sizi bilim adamlarına teslim edeceğiz. Gideceğiniz merkezde rahat edeceksiniz. Bu nedenle yolda tatsızlık çıkarmazsanız son derece güvende olursunuz."

Türk politikacılar cevap vermeyip adamı süzmekle yetindiler. Bilim adamları lafı hoşlarına gitmemişti. Bilim adamlarının kendileri ile ne işi olabilirdi ki? Mide bulandırıcı bir durum söz konusuydu.

Bürokratlardan birisi dayanamadı:

"Siz kimsiniz?"

"Bir çeşit istihbarat örgütüyüz."

"Bir çeşit mi? Kim, CIA, FBI?"

"Aslında tüm bu örgütlerle bağlantıları olan bir çeşit örgütüz. Ancak hem bunlarda bağlantılarımız var hem de onlardan bağımsızız."

"Anlamadım."

"Bunu anlamamanız, hatta bilmemeniz çok daha iyi. Örgütümün ucu nereye dayanıyor deseniz mesela, size cevap veremem."

"Gerçek bir örgüt değil yani."

"Çok soruyorsunuz ama sizi anlayışla karşılıyorum. Gerçeklik kavramınızı sorgulatacak bir örgüt aslında. Tüm olayları ve iç yüzünü bilseniz, şimdiye kadar gerçek gözüyle baktığınız her şey gözünüzde birer birer küçülür ve yok olur giderdi."

Bürokrat, adamın konuşma biçiminden hoşlanmamıştı. Mistik bir havaya girmişti adam ve söylediklerine ciddi biçimde inandığı belli oluyordu. Bekleyip görmekten başka yapacakları bir şey yoktu.

GRİ TAKIM AJANI MERT...

3 Ekim 2007

Elini kadının elinden çekti. Çok zorlamaydı hareketleri. Zaten saçlarının sararması için çok fazla uğraşmış gibi görünüyordu. Bar masasının üzerindeki sandalyede her an yığılacakmış gibi duruyordu. Kokusu bir kadına yakışacak bir koku değildi. Ama zor olmalıydı hayat onun için. İşsizlik artmaya başlamıştı Amerika'da. O da kötüleşen ekonominin kurbanlarından bir tanesiydi. Şimdi fahişelik yaparak geçinmeye çalışıyordu ama bunun da ne kadar çıkar yol olduğu halinden belliydi.

Mert, barmene bir içki daha söyledi. Artık midesi kaldırmıyordu ama bu kadını konuşturmalıydı. Kendisine çok hayati bilgiler verebileceğinden emindi. Sigara dumanı nedeniyle insanların birbirini görmesi çok zordu barın içinde, loş ışıklar yüzünden barın tenha köşeleri karanlıktı.

Tracy, gibi kadınlar barın tenha ve karanlık köşelerinde, 10 dolar için bedenlerini kısmen satıyorlardı. Bazen kendini kaybedip de aşırı ses çıkaran olursa, barmen elinde bir sopa ile gidiyor ve sert bir ses tonuyla çifti uyarıyordu.

Mert, Tracy'nin ağzından nasıl söz alacağını bulamamıştı

hâlâ. Kadın sürekli olarak işi bitirip parasını almaktan bahsediyordu.

Tracy, hadi bana ailenden bahsetsene, dedi Mert. Bundan daha iyisini bulamamıştı. Kendisine kızıyordu ama yapacak bir şey de yoktu. Bir yerlerden başlaması gerekiyordu.

"Bak yakışıklı, sen yabancısın ve benim ailemle neden ilgilendiğini bilmek istiyorum."

"Tracy," diye söze girdi Mert, başını ovuşturarak. Biraz da sarhoş ve kendini yitirmiş taklidi yapmaya çalışıyordu. "Senin aileni merak ediyorum, çünkü az sonra beraber olmak üzere anlaştık. Senin tanımak istemem çok doğal, kaldı ki bunu sırf laf olsun diye bile yapma hakkım var, öyle değil mi?"

Mert'in sözleri çok saldırganca ve aşağılayıcı gelmişti Tracy'ye. Hemen oturdukları yerden kalkıp kapıya doğru koşmaya başladı, Mert de peşinden çıktı. Karanlık masalardaki karanlık insanlar, yanlarından hızla geçen kadınla adama kayıtsızca baktı. Bar sahibi, sorun çıkarmadan kendi barından gitmelerine sevinmişti, problemli görünüyorlardı.

Mert, bar kapısının önünde yakaladı Tracy'yi.

"Neden kaçıyorsun?"

"Bilmiyorum. Bana bakışların... Çok farklı, bana acıyorsun sanki."

"Hayır... Aslına bakarsan, evet haklısın, sana acıyorum. Senin gibi güzel bir insanın bu hale gelmiş olmasını anlayamıyorum."

"Bu benim seçimim, beni seçimlerimden dolayı kınamanı ya da kınayarak bakmanı istemiyorum. Benden her ne istiyorsan onu al, paramı ver ve git!"

Mert, Tracy'nin gözlerinin içine baktı. Tracy'nin onun sert ve güçlü bakışları karşısında çözüldüğünü hissediyordu.

"Bu seçimi senin yapmış olduğuna inanamıyorum. Sen böyle birine benzemiyorsun."

"Ne istiyorsun benden, bunları kabul etsem ne olacak? Neyi değiştirebileceğini sanıyorsun?"

"Seni değiştirebilirim..."

"Neden?"

"Bunu hak edersen eğer..."

"Hak etmek mi? Neyi, nasıl hak edeceğim?"

"Eğer bana yardım edersen, senin geçmişindeki her şeyin silinmesini, yeni bir hayata başlamanı sağlarım."

Tracy, şaşırmıştı. Kimdi bu adam? Esmer tenli, uzun boylu ve yeşil gözlü bir Türk'tü ama neden kendisi ile ilgileniyordu; ondan kim, ne bekleyebilirdi ki?

"Bak Tracy, sana bazı sorular sormam gerekiyor."

Tracy korkmuştu, Mert'in havası birden değişmişti. Onun polis ya da buna benzer bir şey olduğunu düşünmeye başlamıştı.

Mert, onun korktuğunu ve aklından neler geçtiğini anlamakta gecikmedi.

"Hayır, korkma sakın, ben polis değilim."

"Olsan ne çıkar, bana bir şey yapamazsın, hiçbir suç işlemedim ben."

"Bak Tracy, senden istediğim yardım şu, bu bara pek çok politikacının zaman zaman geldiği biliniyor. Bazıları gay ilişkiler için, bazıları ise senin gibilerle beraber olmak için geliyor."

"Benim gibiler..."

"Affedersin, yanlış bir şey söyledim, ama biliyorsun yani.."

"Tamam sorun yok, fahişelerle beraber olmaya geliyorlar, bu doğru."

"Evet. Ve o politikacıların benim için önemli olan bir şeyler hakkında bilgi sahibi olma ihtimali var, önümüzdeki günlerde benim için çalışmanı istiyorum. Eğer bunu yaparsan az önce sana bahsettiğim şeyler dışında tam yüz bin dolar alacaksın."

Tracy kulaklarına gelen kelimeleri ayırt etmekte zorlanıyordu. Karşısında yakışıklı ve sert bir adam durmuş, onun hayatını kurtaracağını ve cebine yüz bin dolar koyacağını söylüyordu. Üstelik her zaman yaptığı şeyi yapması karşılığında... Evet, politikacılarla beraber oluyordu ve Mert politikacıların sarhoşken ne kadar geveze olduğunu bilse belki yüz bin dolarlık meblağı bir kez daha gözden geçirirdi. Tracy o kadar çok şey öğreniyordu ki o adamlardan... Ama kimse onu ciddiye almıyordu, kendilerine ya da çıkarlarına zarar verecek birisi olabileceğini düşünmüyorlardı. Tracy içinde garip bir öfke kazanının aniden kaynamaya başlamasına anlam veremedi. Galiba yıllar içinde biriken duygular, bu garip adamın söyledikleri sonucunda harekete geçmişti.

Başını öne eğdi Tracy, Mert'in elini tuttu.

"Tamam, istediğini yapacağım senin," dedi.

Mert rahatlamıştı, Tracy'nin elini bırakmadı ve rahat konuşabilecekleri bir kafeye gittiler.

Gecenin bu vaktinde kafede kimseler yoktu. Sabaha kadar açık olan dükkânların garip bir hüznü ve aynı zamanda mutlu bir yanı vardır. İçi boş olsa da yanan ışıklar sokaktan geçenlere en azından gerektiğinde sığınılabilecek bir yerin hazır olduğu hissini uyandırır ve bu, şehir insanı için aslında bulunmaz bir nimettir.

Metal tahta karışımı masanın iki yanına karşılıklı oturdular. Tracy, Mert'e hayranlıkla bakıyordu. Onun söyleyeceği her şeyi yapmaya hazır gibiydi. Yıllardan sonra ilk kez birileri için anlam ve değer ifade ettiğini hissetmek onu çok heyecanlandırmıştı.

"Tracy, aslında bilmek istediğim şey, Amerika'nın Türkiye için ne düşündüğü ya da bugünlerde Türkiye için olumsuz bir şeyler düşünüp düşünmedikleri ile ilgili."

Tracy, şaşırmıştı, belki saftı ama aptal değildi. Mert'in nasıl bir insan olduğu hakkında artık daha çok fikri vardı ama bu nedense sorun değildi. Ona karşı bütün savunma duvarları çökmüş gibiydi.

"Neden böyle bir bilgiye ihtiyaç duyuyorsun?"

"Açıkçası, Türkiye'de bunu merak eden tanıdıklarım var. Sevdiğim ve kıramayacağım insanlar."

"Bunu sadece dostlarının merakını gidermek için yaptığını söyleme bana."

"Tamam, belki tam olarak öyle değil, ama inan buna yakın bir şey."

Bir süre düşündü Tracy, aslına bakılırsa gayet heyecanlı bir işti bu. Hayır demesi için bir neden bulamıyordu hâlâ.

"Sana istediğin bilgileri en kısa zamanda getireceğim. Beni bu numaradan ara."

15 Ekim 2007

Mert yatak odasında bir aşağı bir yukarı gidip geliyordu. İçinde tuhaf bir sıkıntı, önemli bir görevin eşiğinde olduğuna dair bir his vardı. Telefonu çaldı. Cevap vermek istemiyordu ama önemli bir telefon olma ihtimali vardı ve içindeki sıkıntıya yenik düşüp profesyonelliğe sığmayacak bir tavır takınmak, Mert'in en son yapacağı şeydi.

Telefonu açtı, duyduğu sese inanamıyordu.

"Aman Allahım, Kurt... Nereden arıyorsun beni?"

"Mert Han, nasılsın oğlum?"

"İyiyim Kurt, iyiyim. Ben de unuttunuz beni zannediyordum. Yeni bir görev var herhalde."

"Evet, düşündüğünden de önemli bir görev. Amerika'daki diğer Gri Takım üyesiyle bağlantıya geçmen gerekiyor. O son bağlantımız, şimdi çok daha önemli bir göreviniz olacak."

"Kim o, çabuk söyle."

"İsim veremeyeceğim ama Houston'da yaşıyor. Basit bir kafede çalışıyor. Luna Cafe, Houston Downtown'da..."

"Tamam, onu en kısa zamanda bulacağım."

"Zaten o kafede çalışan tek garson. Bulmakta zorlanmayacaksın."

"Tamam, en kısa zamanda ona ulaşacağım."

"Bence de, acele etmen gerekiyormuş gibi bir his var içimde."

"Tamam Kurt, Allah yardımcımız olsun."

Telefon kapandı. Mert yerinde duramıyordu, bunca yıldır beklemişti ve şimdi bütün yeteneklerini kullanabileceği an gelmişti. Yetiştirilme nedeni ortaya çıkmıştı ve o, buna bütün varlığıyla tepki vermeliydi.

Yarın sabah ilk işi, hemen Houston'a doğru yola çıkmak olmalıydı. Bu geceyi nasıl geçireceğini bilemiyordu. Bilgisayarını açıp karıştırdı. Geride fazla bir şey bırakmayacaktı. Zaten bu ülkede hiç var olmuş gibi değildi. İş başvurusunda bulunmayan bir işsiz konumundaydı.

Raftan bir kitap alıp okuyarak zaman geçirmenin mantıklı olduğunu düşündü, belki biraz olsun uyumasını sağlayabilirdi. Yoksa şu anki zihinsel durumu ile sabaha kadar uyumak bir yana gözünü bile kırpamayacağını biliyordu.

Kütüphanesinde yüzlerce kitap vardı, sıra sıra dizili kitapları eli ile takip etti ve içlerinden bir tanesini çekti.

"*Geleceğin Düşüncesi*" isimli kitabı alıp yatağın üzerine oturdu. Aslında kitap beklediği etkiyi yapmamıştı, uykusunu getirmek yerine uykusunu kaçırmıştı. Bütün düşünce tarihini kökünden değiştirecek yeni çözümlemeler ve bağlantılar kuruyordu. Mert, *ihtiyacımız olan şey de bu,* diye düşündü. Onlarla aramızdaki farkı kapatmak için yeni bir düşünce tarzına, her şeyden önce bir düşünce tarzına ve düşünmek için motivasyona ihtiyacımız vardı.

Rüyalarında sabaha kadar kavramlar arasında gidip geldi Mert, hepsi hayaletler gibi üzerine kapanıyordu.

16 Ekim 2007
Teksas

Demir kapılar, raylarında sürüklenip yuvalarına gürültüyle oturdu. Ardından yüksek bir ikaz sesi hoparlörlerde uğuldadı. Vücudu artık bu uğultuya cevap veriyor, beton üzerinde uyuyan bedeninde kan tekrar deveran etmeye başlıyordu.

Gül gözlerini ağır ağır araladı. Her sabah olduğu gibi geceleyin gördüğü rüyalardan bitkin uyanmış, yeni yeni kurumaya yüz tutmuş beton zeminde tüm vücudu kaskatı kesilmiş bir halde, kendine gelmeye çalışıyordu.

Elleri üzerinde doğrulup duvara yaslanabildi. Dört metrekarelik hücresi, metal bir tuvalet ve hemen yanında otuz santim yükseltiye sahip, yatak olarak kullandığı beton çıkıntı haricinde bomboştu. Hücrenin demir kapısı, doğal olmadığını artık ayırt edemediği, koridordan gelen beyaz ışığın pek azını içeriye sokuyordu. Basit bir boya ile boyanmadığı belli olan duvarlar pek renksiz ama pürüzsüzdü.

Onu buraya kapattıklarından beri ne kadar süre geçtiğini kestiremiyordu. Kendine gelip bu hücrede gözünü açtığından herhalde birkaç gün sonra, kapının altından sızabilen ışık huzmesinin aydınlattığı duvara tırnaklarıyla çentik atmış, bunu, kahvaltıyı haber veren ikaz düdüğünü duyduğu her sabah tekrarlamıştı. Yerinden kalkmadan doğrulup bir çentik daha attı. En son yüz otuz çentik saymıştı ama üzerinden bir gün mü, on gün mü geçtiğini kestiremiyordu. Çok kez belki bu kapan yüzünden değil ama çaresizlik içinde, neler olup bittiğini bilememenin sancısıyla kendini kaybetmenin eşiğine gelmiş, ağır ama kâbus dolu uykulara yatarak sakinleşmişti.

Kapı, sessizliğin içinde gümbürdedi. Kilit sesi duyuldu. Kapının altındaki küçük pencere açıldı. İçeri, gözleri ağrıtan beyaz ışık doldu. Yüksek sesle her zamanki uyarı geldi:

"Ellerinizi kaldırın ve uzak durun."

Otomatikleşmiş kelimeler hücrede yankılandı ve her zaman yaptığı gibi söylenenleri duymazdan gelip kıpırdamadan yerinde oturdu. Görevli kahvaltı tepsisini yere bırakıp küçük pencereyi kapattı. Gözlerinin karanlığa alışması için bir süre gözlerini yumdu. Kahrolası tepsiyi kafalarına geçirmek isterdi, ama o tepsiden alacağı birkaç kaloriye ihtiyacı vardı. Ne olduklara bakmadan tepsidekileri yedi. Kâğıt tepsiyi büküp kapıya fırlattı.

Bunca zaman içinde karanlık bir delikte nispeten sağlıklı kalmasını sağlayan birkaç yöntem deniyordu. Gözlerini yumdu. Beton zemin üzerinde adelelerini kasıp ardından serbest bırakarak gevşedi. İstanbul'da idi. Önce o çok sevdiği Boğaz havasını ciğerlerine doldurdu. Denize nazır, ince belli bardakta çayını yudumlayıp, ailesiyle kucaklaştı. Yurdunun insanları gururla ona bakıp gülümsüyor, güneş tenini ısıtıyordu. Bunları öylesine kuvvetli yaşıyordu ki kaslarının güçle dolduğunu hissediyor, ağrıları hafif sızılara dönüşüyordu.

Kapı olağandışı şekilde tangırdadı. İçeri, koridorun ışığı doldu. Uzandığı yerden ancak doğrulmuştu ki iki görevli kollarını omuzlarına almış, onu yattığı yerde kaldırmışlardı. Neler oluyordu? Bunca zamandan sonra artık iyi ya da kötü herhangi bir şeyin olması bile aslında yeterliydi. Bugün farklıydı.

Kapıdan yüzlerini pervaza dönerek çıktılar. Işığın kuvvetiyle gözleri kısılmıştı, ancak ışığı içine çekmek istermişçesine gözlerini açık tutmaya çalıştı. Bacaklarındaki gücü hissedebildiği anda sert bir hareketle iki görevliyi sırtlarından iterek kendi yürümeye başladı. Birkaç adım sendelese de ayakta durdu. Derin bir nefes çekip yanındaki görevlilere:

"Nereye gidiyoruz?" diye sordu.

"Müdür ve başka misafirleriniz sizi bekliyorlar," dedi görevli ve koridoru göstererek ilerlemelerini ima etti.

Demir kapılar tepelerindeki kamera lenslerinin görüş alanına girdiklerinde açılıveriyor, arkalarından gürültüyle kapanıyordu. Uzun bir koridor ve beş kapı geçtikten sonra başında bir nöbetçinin bulunduğu asansöre yaklaştılar. Nöbetçi, asansör kapısını açıp gelenlerin binmesini bekledi. Daha sonra arkalarından o da bindi, kartını optik okuyucudan geçirip üzerinde M harfi bulunan kat düğmesine bastı.

Asansör, birkaç saniye sonra katta durdu. Aynı nöbetçi, açılan kapıdan çıkıp kendilerini karşılayan takım elbiseli, iri yarı adama bir şeyler fısıldayarak görevlilere gelmelerini işaret etti. Ardından tekrar asansöre bindi. İri yarı adam bozuk Türkçesiyle:

"Merhaba efendim, umarım bu zorunlu misafirlikten dolayı bize kırgın değilsinizdir," dedi Gül'e.

Gül kayıtsız bir bakışla cevap verdi:

"Ama sanırım bu misafirliği sonlandırmak yine sizin elinizde olacak."

On inçlik bir ekranın yanındaki okuyucudan boynunda asılı manyetik kartı geçirdi. Kapı tıslama ile açıldı. Girdikleri, uzun bir koridordu. Tüm kameralar yürüyüşlerini takip ediyordu. Koridorun sonunda dört merdivenle çıkılan, zemini mermer kaplanmış, etrafında metal dirsekler bulunan açıklığa ulaştılar. Ahşap görünümlü, büyük kanatlı kapının her iki yanında nöbetçiler kendilerini bekliyorlarmış gibi iri yarı adamın kartını uzatmasına gerek kalmadan kendi kartlarını okutarak kapıyı açtılar. Hafifçe kafasını eğerek nöbetçileri selamlayan adam, Gül'e "Buyrun efendim," diyerek yol verdi. Kendilerine eşlik eden iki görevliyi de kapının dışında bırakarak koridorda ilerlemeye başladılar.

Buranın havası, geçtikleri koridorlara hiç benzemiyordu. Her iki duvarda özenle asılmış tablolar; ahşap, üzerleri oymalarla süslenmiş bordürler vardı; ünlü sanatçılara ait imitasyon heykeller özenle aydınlatılıyordu. Dışarının nemli havası bile yerini kuru, serin bir havaya bırakmıştı. Burasının bir hapishane olduğuna inanmak güçtü.

Gül'ün içindeki durağanlık, şiddetli duygulara dönüştü birden. Gözleri parıldadı, kasları gerildi. Aylardır yaşadığı karanlık hücre gözlerinin önüne geldi. Kalbi hızla çarpmaya başladı.

"Neler oluyor burada!" Gül şaşkınlıktan büyümüş bir çift göze gözlerini dikmiş, sinirle solur buldu kendini.

"Bunu öğreneceksiniz efendim, lütfen sakin olun!" dedi iri yarı adam. Kapısı hayli lüks bir odanın önüne geldiler ve içeride hazır duran insanlarla karşılaştılar.

16 Ekim 2007
Teksas

Hayır, artık hiçbir şey eskisi gibi değildi. Nasıl bir dönüşüm yaşadığını kendisi bile bilmiyordu. Artık bedeni hastalıklı tepkiler vermekten tamamen vazgeçmişti. Hiç hayal etmediği bir insan gibiydi. Ama başına gelenlerin onu böylesine derinden ve kesin bir biçimde tedavi etmiş olmasının mantıklı bir nedeni vardı.

Ersin, yaşadığı anları unutamıyordu: Ani değişimi, bedenine hücum eden adrenalinin etkisiyle kendini kaybetmiş bir biçimde silaha sarılması ve vurduğu Amerikalı askerler... Sonrasında yakalanması ve sürekli olarak hırpalanarak apar topar Amerikan askeri üssüne, oradan da kim olduklarını anlayamadığı birilerinin yanına verilip Amerika'ya getirilmesi.

Bedeninin her yeri çürükler içinde kalmıştı, ama artık eskisi gibi değildi davranışları. Yaraları iyileşmeye başlamıştı.

Uzun süre kapalı tutulmanın verdiği ham bedeniyle hareket etmek hayli zorlaşmıştı. Ama küçücük odasında sürekli olarak egzersiz yapıyordu. Bu nedenle vücudu iyi görünmeye bile başlamıştı gözüne. Fark etti, kendine olan güveni geri geliyor ve panik atağın nedenlerini kavramaya başlıyordu. Eğer bu düşündüklerini Amerikalılar bilse ne yaparlardı acaba? Onlar Ersin'e işkence yaptıklarını düşünürken, Ersin aslında her zaman yaşaması gerektiğini düşündüğü zorlukları yaşıyordu.

Küçük odasının içindeki yatakta uzanmış, bunları düşünürken kapıdan gelen metalik sesle irkildi. *Yine ne için geldiler acaba,* diye düşündü. Kapının önünde iri yarı bir koruma görevlisi duruyordu.

"Çocuk, buraya gel, seninle işimiz var," dedi.

Ersin gözlerini ovuşturarak baktı korumaya. Yavaşça ayağa kalkıp odadan çıktı. Geniş koridorda beraber yürümeye başladılar. Adam hiç konuşmuyordu. Ersin hâlâ atom bombası yüzünden sinirli olduklarını düşünüyordu.

"Seni özel bir misafirimizle tanıştıracağız."

"Bana ne sizin misafirinizden!"

"Kes sesini aptal! Onu tanıyacaksın."

"Nerden tanıyabilirim, aylardır bu delikteyim be!"

"Senin dilin çok uzamış! Dayak yemedin galiba epeydir."

"Bak, her gün odamda spor yapıyorum ve eğer çok kızarsam sana bile neler yapabileceğimi bilmek istemiyorum."

Muhafız garipseyen bir yüzle baktı Ersin'e. *Delirdi herhalde,* diye düşündü. O yediği iğnelerden sonra hâlâ sağlam kalması zaten mucize olurdu.

Uzun koridor bitmek bilmiyordu. Yanlara doğru açılan kapılar sıkıca kilitlenmişti. Bazı odaların içinde yüksek fazlı elektrik aletlerinden olduğunu sandığı sesler geliyordu. Garip bir yerdi burası. Bilimsel araştırma laboratuarı gibi bir yer. Şimdiye kadar kendisine pek çok iğne yapılmıştı, ama bu iğnelerin ne için yapıldığını bilmiyordu Ersin. Hiçbir şey hissetmemişti. Sadece kendine güvenle ilgili birtakım hislerinin geliştiğini gözlemliyordu. Bu gözlemlerin de o iğnelerle bir ilgisi olup olmadığını bilmiyordu. Ama günden güne değiştiğini hissedebiliyordu.

Bir kapının önünde durdular. Koruma bekledi. Koridorun diğer yanından başka birileri geliyordu. Beyaz önlükler giymişlerdi. Ersin bazılarını tanıyordu, ona iğne yapan doktor görünümlü adamlar da vardı aralarında. Hepsinin yüzündeki soğuk ifadeye baktı. Korkutucuydu bu bazen. Sanki insan değillermiş gibi geliyordu ona.

Kapının önünde buluştular. Yeni gelen adamlar Ersin'in yüzüne hiç bakmadılar bile. Korumaya, bir işaretle, kapıyı açmasını söylediler ve kapı açıldı. Oda, koridora nispeten karanlıktı ama Ersin'inki kadar değil. Hep beraber içeriye girdiler.

Ersin bir şey seçemiyordu, ama büyük bir kanepenin üzerinde birisinin oturduğunu görebiliyordu.

Onu bir köşedeki masanın yanında duran sandalyeye oturttular. Beyaz gömlekli adamlar gidip, kanepenin üzerinde oturan, arkası dönük adama yaklaştılar ve ona bir şeyler söylemeye çalıştılar. Sanki onları reddediyor ve kızıyor gibiydi adam.

Ersin bir süre sonra onu tanıdığını fark etti. Nereden tanıdığını bilmiyordu ama gölgesini sanki hatırlıyordu bir yerlerden. Koruma gerçekten de doğru söylemişti. Ama kim olabilirdi bu adam?

Konuşmanın bir yerinde beyaz gömleklilerden birisi Ersin'e döndü ve onu yanlarına çağırdı. Heyecanlanmıştı Ersin, hayır bu panik atak değildi. Gerçekten heyecanlanmıştı. Ona biraz daha yaklaşınca zihnindeki pek çok resimle yan yana gelmeye başladı çehre.

İnanamıyordu, bu Abdullah Gül'dü. Türkiye Cumhuriyeti'nin Dışişleri Bakanı. Kanepenin üzerinde oturmuştu ve yorgun görünüyordu, ama adamların ona sinirlenmesi nedeniyle direndiğini anlayabiliyordu Ersin.

Gül, onu görünce elini uzatıp yanına çağırdı. Ersin yavaşça yaklaşıp oturdu.

"Beni tanıdın mı?" diye sordu Gül. Ersin başını salladı ama hâlâ şok halindeydi.

"Evet Bakanım, tanıdım," diyebildi sadece. Gül'ün yüzünün güldüğünü görebiliyordu. Ama yorgundu.

"Sana kötü davrandılar mı?"

"Evet Bakanım, ellerinden geldiğince. Peki siz, siz burada ne arıyorsunuz?"

"Savaş başlamadan önce, savaşı durdurabilir miyiz, işleri yoluna koyabilir miyiz diye..."

"Biliyorum, gazetelerde okumuştum."

"Sonra her şey çok hızlı oldu, değil mi?"

"Evet Bakanım."

"Sen niye geldin buraya?"

"İki Amerikalı askeri vurdum, sonra beni yakaladılar. Şimdi de buradayım. Peki siz burada ne yapıyorsunuz? Savaşın bittiğini söylediler bana."

"Savaş bitti, ama Washington'da bomba patlatmışlar. Neredeyse ben ve bürokratlarım da bu patlama ile yok olacaktık. Ama benle ilgili başka planları var. Bunu uygulamak için beni kaçırdılar. Sanırım Türkiye'ye benim kaybolduğumu söylediler."

"Bizimkiler buna inandılar mı sizce?"

"Bence inanmamışlardır. Onlar benim kolay lokma olmadığımı bilirler."

"Bakanım, diğerleri nerede?"

"Bilmiyorum... Ersin'di adın, değil mi? Bürokratlar üzerinde bazı deneyler yaptıklarını söylediler. Ve onlardan alacakları sonuca göre bana bazı testler uygulayacaklarmış."

"Ne? Bizi bir çeşit kobay olarak mı kullanıyorlar, ben pek çok iğne yedim!"

Gül, ona acı dolu bir ifadeyle baktı. Doktorların Ersin'in durumu hakkında konuştuğu bazı şeyleri duymuştu. Genetik bir silahın testleri yapılıyordu üzerinde ve bundan zerre kadar haberi yoktu Ersin'in. Bedeninin ne tepki vereceğini ve ortaya nasıl bir sonuç çıkacağını bilmiyorlardı. Özellikle savaş alanından alınan insanları istemişlerdi. Onların genetik yapıları daha güçlü olmalıydı ya da en azından istenen gen dizilimine en uygun insanlar olmalıydılar.

Ersin, Gül'ün bakışlarından hoşlanmamıştı. Yüzü bozuldu:

"Neden bana öyle baktınız? Bir şeyler mi biliyorsunuz yoksa?"

"Ersin, her ne olursa olsun kesinlikle iradeni kontrol altında tutmalısın. Ve benimle ilgili ne söylerlerse söylesinler, kesinlikle kendi doğru davranış biçimlerinden vazgeçme."

"Bana bunu neden söylüyorsunuz?"

Gül, sanki bir şeyleri açıklamak ister gibiydi, ama araya girdiler. Doktorlardan birisi Ersin'i kolundan tutup dışarıya çıkarttı. Geç adam hâlâ Gül'ün kendisine ne söyleyeceğini merak ediyordu doğrusu.

Ersin çıkınca içeride kalan üç doktor Gül'ün etrafına oturdu.

"Bize yardım etmeyi düşünüyor musunuz?"

"Size hiçbir şekilde yardım etmeyeceğim."

"Ancak bu sizin ülkenizin yararına da olabilir."

"Beni kandırabileceğinizi mi sanıyorsunuz?"

"Bakın Sayın Gül, eğer bilinç kanallarınızı bize açarsanız, size son derece adilane bir psişik dalga boyu uygulayacağız. Böylece, istediğimiz sonuçlar alınacak."

"Defolun başımdan."

"Bürokratlarınız bize karşı koydular ve biz de onlara son derece acı veren bir elektromanyetik şekillendirici uygulaması yapmak zorunda kaldık."

"Her ne manyaklıklar yapıyorsanız yapın, benim ortak olmamı beklemeyin."

"Ama Sayın Gül, zihni yapınız çok sistematik. Ve bu nedenle içeri girmemiz zorlaşacak. Sizin ileride Türkiye'nin Başbakanı olacağınızı düşünüyoruz. Ve şu an bu fırsatı kaçırmak istemeyiz."

Gül duyduklarına inanamıyordu. Bu adamların kim olduklarını hâlâ öğrenememişti. Resmi Amerikalı görevliler değillerdi. Uzun zamandır bürokratların üzerinde çalışmalar yaptıklarını biliyordu.

"Hâlâ sizin kim olduğunuzu bilmiyorum."

"Sayın Gül, dünyanın neresinde olursanız olun bizim gücümüzü hissedebilirsiniz. Biz böyle bir gücüz."

"Bu bana hiçbir anlam ifade etmiyor ama."

"Bakın, burada sizi ikna etmek için varız. İkna edemezsek de acı verme yoluna gideceğiz."

"O kadar güçlüyseniz neden istediğinizi yapmıyorsunuz bana?"

"Size uygulamamız gereken düşünce şekillendirici işlem, çok sistematik düşünce sahibi kişilerde etkisini yitiriyor. Yani güçlü bir düşünce yapınız var, inançlarınız ve kafanızdaki fikirler sağlam. Bu nedenle ortak hareket etmezseniz işimiz zor, ama yine de sizi çok zorlayacak şeyler yapabiliriz. İster misiniz sonuçta beyninizde patlama olsun?!"

"Beni böyle korkutacağınızı sanıyorsanız yanılıyorsunuz. Allah'ın belaları..."

"Bakın Sayın Gül, biraz sonra bürokratlarınızdan birisi gelecek. O da karşı çıktı ve neticede kendisine aşırı güçlü manyetik dalgalar uyguladık."

"Pislikler sizi!"

"Sürekli böyle konuşmayın, siz bizim için değerlisiniz. Hah ha ha..."

Doktor elindeki telsizle bir mesaj geçti. Az sonra normal kıyafetler içinde bir Türk bürokratı geldi içeriye. Yanında kimse yoktu. Gül onu görünce heyecanlandı, ama bir gariplik vardı ortada. Adamın bakışlarında hiçbir duygu belirtisi yoktu.

"Hasan Bey, nasılsın?" diye sordu Gül.

Bürokrat Hasan, gayet sakin bir görüntü sergiliyordu, ama detaylara bakıldığında gayet anlamsız bir şeylerin olduğu anlaşılabiliyordu.

"İyiyim Sayın Bakan," dedi sadece. Abdullah Gül, onun gözlerinin içine baktı. Sanki sıcak konuşmaya çalışmış gibiydi, ama çok fazla yapmacıktı her şey.

O an Gül, insanlık dışı bir olayla karşı karşıya olduğunun farkına vardı. Bir çeşit Nazi kampında gibiydi. Garip deneylerin yapıldığı ve insanların varlığına hücum edilen bir kamp.

Bürokrat Hasan Bey, Gül'ün yanına yaklaştı. Odada sadece ikisi varmış gibi hareket ediyor olması Gül'ün gözünden kaçmamıştı. Bir çeşit robottu sanki. Gözleri kanlanmıştı, çok belli olmasa da iyi bakınca yüzünde, harap olduğunu gösteren bir ifade söz konusuydu.

Gül'ün oturduğu kanepenin hemen yanına sandalyesini yerleştirmiş oturan doktor, ona doğru eğilerek: "Ona bir şeyler söyle, fikrini sor," dedi.

Abdullah Gül, şaşırarak baktı doktora. Gözbebeklerindeki şeytani parıltıdan hiç hoşlanmamıştı.

"Nasılsın Hasan Bey? Sizce Amerika ile ilişkiler bir daha eski haline gelir mi bu savaştan sonra?"

Bürokrat Hasan Bey, Gül'ün gözlerinin içine baktı. İçinde bir yerlerde bir titreme oluyormuş gibiydi. Sanki bedeni içinde kapatılıp kalmış bir insan vardı. Yüz ifadesi son derece rahattı, ama sadece gözlerinin derinliklerinde, zorlanan, acı çeken ve sanki zincirlerini kırmak isteyen birisi var gibiydi.

"Sayın Bakanım, buna şüpheniz olmasın. Amerika Birleşik Devletleri ile muhteşem bir dostluğun başlangıcındayız. İstedikleri kadar üssü kendilerine verebiliriz, mutlaka bize geri dönüşü büyük olacaktır. Bir koyup sonsuz alabiliriz."

Ve sustu. Yüzünde soğuk ve donuk bir gülümseme vardı, ama gözlerinin içi yanıyor gibiydi. Abdullah Gül, duyduklarına inanamıyordu, programlanmış bir robotun konuşması gibiydi yılların deneyimli bürokratı Hasan Bey'in sözleri.

Gül ona daha dikkatli bakınca gözlerinde yaş olduğunu fark

etti. Ruhu bedenine hapsedilmiş gibiydi. Yanında oturan doktora dönüp baktı. Doktor gülüyordu:

"Gördünüz mü? Bakın, ne kadar uyumlu ve barışçıl. İşte bizim istediğimiz dünya, böyle bir dünya."

Gül, gördüklerine ve duyduklarına inanamıyordu. Ölmekten, işkence görmekten daha kötü bir şeydi bu.

"Teknolojinin insan ruhuna üstünlüğü de diyebiliriz buna Sayın Bakan. Ruh, gücün tahakkümünü engelliyordu, biz uzun süredir bunu sona erdirmek için uğraşıyoruz. Eğer çok dikkatli bakarsanız Hasan Bey'in ruhu içeride bir yerlerde, ama öylesine hapsedildi ki, hiçbir şey yapamıyor. Sadece gözbebeklerinde iz bırakabiliyor, bunu da sona erdirmeye çalışıyoruz."

"Bunun ilk uygulama olduğunu sanmıyorum," dedi Gül. Sürekli olarak Hasan Bey'in hareketlerine bakıyordu. Hiçbir stres ya da duygu bozukluğu hali yansımıyordu mimiklerinden. Gözlerinden başka kanıt yoktu onun Hasan Bey olduğuna...

"Haklısınız Sayın Bakan. Aslında buna benzer teknikleri farklı formlarda pek çok yaygın medya ortamında kullandık. Dünya kamuoyunun düşünce biçimlerini şekillendirme konusunda bir hayli ilerleme kaydedildi. Ama şunu gördük ki, topluluklar ne kadar iyi yönlendirilirse yönlendirilsin, aralarından sıyrılan bilinçler gücü ele geçirip bizim isteğimiz dışına çıkma tehlikesini barındırıyor. Artık buna katlanmak istemiyoruz. Bu büyük projenin ilk ayağı sizsiniz."

"Neden ben?"

"Bu savaş sonrasında hâlâ iktidarınız devam ediyor ve Erdoğan sonrasında o koltuğa oturacak kişi sizsiniz bizce. Bu nedenle işte. Kısaca buna pro-aktif hareket etmek diyoruz, hah ha ha..."

"Siz çıldırmışsınız, bana bunları söyletemezsiniz."

"O zaman sayın Gül, şu diğer bürokrat, adı neydi, adı Mehmet olan, onun durumuna..."

"Ne oldu Mehmet'e? Ona ne yaptınız, söyleyin bana!" Gül

çok sinirlenmişti. Kendini tutamıyordu. Doktor ayağa kalkıp kanepeden uzaklaştı.

"Sizin ilk yakalandığınızda yaptıklarınızı duydum. Aslında hiç de öyle görünmüyorsunuz ama çok sertmişsiniz."

"Ne yaptınız Mehmet'e, pis herifler..."

"Bize karşı koydu, bütün gücüyle... Eğer bu sizi rahatlatacaksa asla geri çekilmedi ve en sonunda beynindeki devreler yandı özetlemek gerekirse. Halini görmek istemezdiniz."

Gül sarsılmıştı, ama bunu belli etmedi.

"Bunun hesabını ödeyeceksiniz. Göreceksiniz, bunun hesabı mutlaka ödenecek."

"Sayın Gül, fazla zamanınız yok. Yakında denemeye başlayacağız, sizi elimizde fazla tutamayız. Öldüğünüz yalanı ortaya çıkacaktır er geç. Ha, bu arada o Ersin denen çocuk üzerinde genetik bir araştırma yapıyoruz. Genetik mutasyonun davranışlar üzerinde etkisinin ne dereceye kadar gerçek olabileceği ile ilgili. Çok garip, çocuk gitgide daha pısırık ve korkak olması gerekirken gittikçe cesur ve patavatsız oluyor. Bu gidişle ilaçlar onu aniden kötü bir şekilde öldürebilir."

Gül, başını öne eğdi. Yapabileceği bir şey yoktu, ama o doktoru aklına kazımıştı.

13 Ekim 2007
Houston yolunda

Mert Han, Tracy'yi tekrar aramadan yapamamıştı. Kim bilir, bir kez daha şansını denemeden Houston'a gitmemeye karar vermişti. Bunu tam olarak neden yaptığını bilmiyordu. Kendisini mutlu kabul ediyor olsa da, içinden öyle olmadığını anlamıştı Mert. Psikoloji derslerini çok iyi takip ederdi, zaten bu işlerden bir gün canlı sıyrılabilirse mutlaka psikolog olacaktı.

Telefon birkaç kez çaldı. Umudunu kesti hemen. *Önceki aramaların bir benzeri,* diye düşündü. Tam kapatmak üzereyken kulağına bir tıkırtı ve ses geldi. Ahizeyi tekrar kulağına götürdü. Evet, bu oydu, Tracy'nin uykulu sesiydi duyduğu.

"Tracy, nerelerdeydin, sana bir şey oldu sandım, neden aramadın beni?"

"Yavaş Mert, yavaş... Kendime gelmek zorundayım. Dün gece çok sert davrandılar bana."

Bunu duyunca içi sızladı Mert'in, ama toparlandı hemen.

"Seninle bir şeyler konuşmuştuk. Bana yardım edeceğine söz verdin, ben de inandım sana. Benim hatam, senin gibi bir..." Kendisini cümleyi tamamlamamak için zor tuttu. Ona neden birden kötü davranmak istediğini anlayamamıştı.

"Kendini sıkma, bana istediğin gibi hitap edebilirsin... Fahişe demende sorun yok. Zaten ben de sana yardım edebilmek için normalden fazla çalıştım geçen günlerde. Kendimi tamamen bu işe verdim."

Mert, birden yanlış bir şey düşünmüş olduğunun farkına vardı ve pişman oldu ama bunu ona belli etmek istemiyordu.

Tracy devam etti sözlerine:

"Senin işine yarayabilecek bir şeyler öğrendim galiba. Çok garip şeyler, Sağlık Bakanlığı'nda çalışan bir görevliyle beraberdim geçen gece. Bana çok kötü davrandı ama o kadar çok şey söyledi ki, duyduklarıma inanamadım. Sanırım seni ilgilendirecek bir şeyler."

"Tracy, buradan hemen gitmemiz gerekiyor. Birazdan gelip seni alacağım."

"Hey, sana duyduklarımı anlatırım ama hepsi bu. Bana sahip çıkamazsın."

"Bak Tracy, sana istediğin kadar para verilecek, yeterince param var anlaşıldı mı?"

"Ne kadar?"

"Başı önemli değil, ama sonu milyonla bitiyor."

"Ne, milyon mu? Tanrım, bu muhteşem. Tamam o zaman istediğin kadar seninim."

"Birazdan oraya gelip seni alacağım, hemen Houston'a doğru yola çıkmamız lazım."

"Houston'da bir adamla görüşeceğiz."

"Bir adam mı? Tanrım.. Mert beni birisine..."

"Saçmalama, bu iş için bana lazım o adam."

"Tamam, sana güveniyorum."

Yarım saat sonra Mert, Tracy'nin evinin önündeydi. Tracy, Mert'in otomobiline bindikten sonra bir süre konuşmadı.

Konuşma zorunluluğu duymamıştı, rahat hissediyordu bu yabancının yanında kendisini.

"Ee, anlatmayacak mısın?"

"Bana her şeyi söylediğini düşünmüyorsun herhalde. Sadece Türkiye'nin idaresini ele geçirmekten falan bahsetti."

"Tracy, sen ne dediğinin farkında mısın? Hani bir şey söylememişti?"

"Zaten savaş da bu amaçla yapılmamış mıydı?"

"Evet, ama savaş bittiğine göre yeni bir plan var demek ki. Esas öğrenmemiz gereken şey bu belki de."

Saatler çok çabuk geçti. Mert'in gözleri hiç kırpışmıyordu neredeyse. Tracy ise çoktan uyumuştu. Derken Mert'in sert direksiyon hareketi ile kendisine geldi. Gri otomobil yavaşça kuzey yönünü gösteren tabelaların bulunduğu yola girdi. Tracy henüz nereye gittiklerini kavrayamamıştı. Tabelaya baktı.

"Houston'a gittiğimizi sanıyordum."

"Lütfen kemerini bağla!"

"Neler oluyor?"

"Sadece dediğimi yap ve lütfen soru sorma!"

Mert gözlerini kısmış, kafası hiç kıpırdamadan dikiz aynalarından arkasını kontrol ediyordu. Kadın doğrulup arkaya dönecekken kuvvetli bir el ona engel oldu. Canı acımıştı Tracy'nin, koltuğuna yığıldı. Merak yerini korkuya bırakıyordu. Sorarken sesi titriyordu şimdi.

"Onlar da kim?

"Bilmiyorum. Sen sadece dediğimi yap."

Kadın kemerini bağlayıp endişeli bekleyişine başladı. Aynalardan seçebildiği kadarı ile 8 silindirli mavi bir Ford'un içinde biri kadın üç kişiydiler. Hepsinin gözlerinde güneş gözlükleri vardı. Kadın dahil hepsi koyu takım elbise giymişlerdi. Mavi Ford ile aralarında yirmi otuz metre vardı ve her saniye bu ara kapanıyordu.

Mert, altı şeritli yoldan batı yönünü işaret eden levhaların gösterdiği yola döndü. Şimdi gaza hissedilebilir derecede kuvvetli basıyordu. Volvo, turbosunu açmak için can atıyor, biraz daha devirlenmeyi bekliyordu. Bir anda Mavi Ford'un Amerikan arabalarına has motorunun kükremesi duyuldu. Volvo'nun yanındaki şeride geçti. Yan camlar koyu filmle kaplanmış olduğundan içerisi görünmüyordu. Mert ellerini direksiyon üzerinde kenetlemişti, her şeye hazırlıklı görünüyordu.

"Tanrı aşkına, kim bunlar?"

"Sıkı tutun."

Sözü henüz bitmişti ki Ford'un ön camı açıldı, aradan çıkan eli ve üzerlerine doğrultulmuş 9 milimetrelik Smith Wesson'ı gördü. İlk silah sesi duyulduğunda Volvo, turbosunu açmış, tıslayarak ileri atılmıştı. Arka kapı camına isabet eden mermi, kırık cam parçalarını aracın döşemesine saçtı. Ford'un içindekiler ciddiydiler ve galiba onlarla pek konuşmak niyetinde değildiler.

Mert şimdi bir eliyle direksiyonu tutuyor, diğer eliyle ceketinin içinden çıkardığı 45'liğin mermilerini kontrol ediyordu. Mavi Ford kükreyerek tekrar Volvo'nun yanına geçti. Mert bir çırpıda mermileri yanındaki aracın üzerine boşalttı. Yan camları dağılan Ford dengesini yitirdi, çizgisinden çıktı ama bir direksiyon hareketi ile tekrar Volvo'nun yanına geçti.

Mert ceketinden yeni mermiler çıkarıp silahını doldurdu. Tracy bu arada döşemenin üzerine kapaklanmış, elleri ile başını korumaya çalışıyordu. İçeridekileri görmek mümkündü şimdi. Arabadakilerin cinsiyeti üzerine tahminleri doğru çıkmıştı. Şoför otuzlu yaşlarının sonunda beyaz tenli, bıyıklı, kalın kaşlı, saçları yer yer seyrekleşmiş, koyu takım elbiseli bir adamdı. Ön koltukta oturan kadın daha gençti ama şoförden daha sert hatlı, çizgili bir yüzü vardı. Aşağı çökmüş olan arka koltuktaki adamı ise pek seçemiyordu. Bu sırada arka koltuktan doğrulan adam, makineli tüfeğin namlusunu üzerlerine sabitlemeye çalışıyordu. Sert bir frenle şehir merkezine giden 402 no'lu otobana saptı. Bu frenin kendisine biraz zaman kazandıracağını düşünüyor, arabadakilerin otoban trafiğinde bu kadar rahat ateş açamayacaklarını umuyordu.

Ford hiddetle böğürerek Volvo'nun arkasına geçti. Mert arkayı kontrol etmek için dikiz aynalarına bakmıştı ki makineli tüfeğin kesik kesik gelen sesi duyuldu. Volvo önce titredi, arka tekerleklerden kendini bıraktı. Otomobilin yoluna girmesi için bir dizi sert direksiyon turu, gaz pedalının köklenmesi ve çokça küfür gerekmişti.

Tracy inleyerek belli belirsiz bir şeyler mırıldanıyordu, aracın içine dolmuş motor ve rüzgâr sesinden başka bir şey duymak imkânsızdı. Mert'in aklından, bir an direksiyonu Tracy'ye vermek fikri geçti. Ama onun döşemeye çökmüş halini görünce aynı hızla uzaklaştı bu fikirden.

Tracy'nin bedeni sanki katılaşmış; adrenalin, tüm vücudunu bir tuhaf, düşüncelerini ise bulanık hale getirmişti. Birkaç dakika geçmişti, belki birkaç saniye. Düşüncelerinin karmaşıklığı içinde sanki ciğerleri hava ile dolmuyordu. Bir an adamı gördü. Adam sanki gündelik işlerini yapıyormuşçasına kayıtsızdı. Araba kullandığı herhangi bir günden farklı değilmiş gibi. Arkalarından mermiler atılıyor, onlarcası otomobilin kaputunda patlıyor değilmiş gibi. Gördüğü bu yüz, içinde bulunduğu dehşetten biraz olsun sıyrılmasına yardımcı oldu.

Anlaşılan, trafikteki araçların varlığı, Ford'takileri hiç etkilememişti. Hedefte bazen tek suçu Volvo ile arasına girmek olan bir otomobil de olabiliyordu. *Bu adamlar bizim sağ kalmamızı istemiyor, hem de hiç,* diye geçirdi aklından Mert. Tam o sırada mermilerden biri sağ omzunu paralayıp ön camı patlatarak araçtan çıktı. Ön konsola ve kadının üzerine sıçrayan kan, ceketinden görünen gömleğini kızıla dönüştürmüştü. Sadece bir sızlama hissetti. Mermileri silahına doldururken acı kendini iyice hissettirdi. Mermilerine baktı, çoğunu kullanmıştı. Yapabildiği tek şey ise karşısındaki aracın camlarını indirmekti. Daha fazla bu şekilde dayanamayacaklarını anladı. Aklındakini yapmak için acele etmesi, en uygun zamanı seçmesi gerekecekti. Hız ibresi, yüz milin üstünde titriyordu. Keşke daha güçlü bir otomobili olsaydı...

Ford zikzaklar çiziyor, kedinin fareyle oynaması gibi Volvo'ya bir sağdan bir soldan yaklaşıyordu. Bu sırada araçtakiler şarjörleri üstlerine boşaltıyordu.

"Komutumu bekle, 'şimdi' dediğimde doğrulacak ve tekrar emniyet kemerini takacaksın. Ve sakın soru sorma!"

Kadının ağzından soluksuz bir tamam inlemesi döküldü kaderine razı bakışlarla. Ne olacağını tahmin edemiyordu. Aslında merak da etmiyordu. Sadece bir an önce bunun son bulmasını, nasıl olursa olsun son bulmasını istiyordu.

Zaman yaklaşıyor, diye düşündü Mert. Belki bir dakika. Aracın iyice yaklaşmasını beklemeliydi.

Ford, Volvo ile arasındaki yeşil BMW'ye yandan bindirdi. Aracın şoförü daha ne olduğunu anlayamadan kasalı bir tırın altına girdi. Üzerinden geçtiği aracın etkisiyle kasası bir anda havalanan Mercedes tır, olanca kuvvetiyle bariyerlere çarptı. Sanki şimşek çakıyormuşçasına metalin metale sürtünme, saplanma, bükülme sesleri kulaklarda çınladı. Mert dikiz aynasından arkasına baktığında görebildiği, toz bulutundan başka bir şey değildi. Şehir merkezine on, on beş blok kalmıştı. Sağ şeritten yaklaştığını gördü otomobilin. "Şimdi!" diye olanca kuvvetiyle bağırdı.

Kadın, sesleri duymuyormuş gibi yüzüne bakıyordu, surat ifadesinden bir şeyler çıkarmaya çalışıyormuş gibiydi. Söyleneni yaptı. Kemerini taktı ve koltuğa sıkıca gömüldü.

Tam bu sırada Mert, frene olanca kuvvetiyle asılıp, direksiyonu sağa doğru neredeyse yarım tur kırdı. Ford'un sürücüsü daha ne olduğunu anlayamadan Volvo, araçlarına sol arka kapıdan bindirmişti. Şaşkın bakışlarla şoför, direksiyona hiçbir tepki vermeyen otomobilini yoluna sokmaya uğraşıyordu. Araç sağa sola salındı, en sonunda kendi etrafında bir tur dönerek olanca hızıyla bir aydınlatma direğine adeta saplandı. Volvo yoldan çıkardığı aracın peşinden kaymaya başladı. Direksiyonda en ufak bir tepki yoktu. Araç, kendi bildiği doğrultuda bir kamyonete yandan çarparak durdu.

Etrafa mutlak bir sessizlik hakim oldu. Mert, yüzüne doğru patlayan cam parçalarını yaralı koluyla temizlemeye uğraştı. Tracy hareketsiz, kesik kesik soluyarak olduğu yere yığılmıştı. Alnı yarılmış, süzülen kanlar boynunda koyu bir pıhtı birikintisi oluşturmuştu. Mert, kadının iyi olup olmadığını kontrol etmek için elini tuttu, kadın irkilerek tepki verdi.

"İyi misin?"

"Hayır. Ama yaşıyorum. Neredeler?"

"Bilmiyorum, acele etmeliyiz."

Kasılan kapı, adamın birkaç sert darbesine rağmen açılmadı. Önce kapıdan güç alarak vücudunun üst kısmını kırık camdan dışarı çekti, daha sonra bacaklarını. Tracy, bu sırada kemerini çözüyor, kolundaki şiddetli sızının yerini bulmaya çalışıyordu. Mert, onun bulunduğu kapıya gitti. Çarpmanın etkisi ile kapı neredeyse doksan derece içeri doğru bükülmüştü, camdan dışarı çıkmaya imkân vermiyordu. Motor kaputunun üstüne sıçrayıp, ön camdan iki eliyle kadının kollarından kavradı. Tek seferde çekerek dışarı çıkardı. Tracy, şaşkındı, biraz önce içinde bulundukları araca bakıyor, hayatta olmalarının mucize olduğunu düşünüyordu. Birden aklına geldi. Gözleri panikle açıldı, mavi Ford'u aramaya başladı. Mert bakışlarını bir noktaya sabitlemiş, belli belirsiz mırıldanıyordu. Onun baktığı yere döndü. Mavi Ford sanki keskin bir bıçakla yarıya kadar kesilmiş gibi aydınlatma direğinin beton gövdesi tarafından biçilmişti.

Burası şehrin merkezine sekiz veya on blok uzaklıkta, sağlı sollu, içleri boş izlenimi veren koyu renkli beton apartmanlardan oluşan dört şeritli bir yoldu. Apartmanların altında izbe görünümlü dükkânlar sıralanmıştı.

Mert etrafı çözmeye çalışarak şehrin merkezine doğru koşmaları için Tracy'nin kolundan tuttu. Acıyla gözleri yaşaran kadın usulca inleyip adamın temposuna ayak uydurmaya çalıştı.

Mert kolundaki acının arttığını hissettiğinde, koşar adımlarla şehir merkezine doğru gidiyorlardı.

Betona çarpıp seken vızıltının bir silahtan atılmış mermi olduğunu anlaması bir saniyesini aldı. Tracy'ye koşmasını söylediği anda diğer mermi bir marketin ahşap kapısına saplandı. Bir yandan düşüncelerini toparlamaya çalışıyor, diğer yandan merminin nereden geldiğini kestirmeye çalışıyordu.

Tracy ise sanki olan bitenden habersiz gibi, o ne derse onu yapıyordu. *Hayır,* diye geçirdi içinden, *o arabadan sağ çıkmış olamazlar.* Sağ çıksalar bile arkalarından gelecek gücü bulamazlardı. Gözleriyle görmüştü, araba beton bir hızar tarafından biçilmişti. Kimdi bu garip insanlar?

Susturucu takılmış bir silahtan atıldığı belli mermilerin beton duvarlardan, park etmiş arabalardan, metal posta kutularından sekerken çıkardığı seslerden başka bir şey duyulmuyordu. İki katlı bir alışveriş merkezinin kapısına yöneldiklerinde yolun en sol şeridinde kaldırımın paralelinde ilerleyen yeşil Buick'i fark etmişti. Vücutlarının ağırlığını alışveriş merkezinin kanatlı kapılarına vererek kendilerini içeri attılar. Bileğinden akan kanları gizleyemeyeceğini anlayınca sağ kolunu dirseğinden arkasına sakladı. Birkaç metre ötelerinde bulunan kısa koridora sapıp tuvalete girdiler. Aceleyle ceketini çıkarıp gömlek kolunu sökerek koluna tampon yaptı. Silahındaki boş şarjörü yenisiyle değiştirip nefesini kontrol altına almaya çalıştı. Eğer önlem almazsa kan kaybından bilincini yitirmesi kaçınılmazdı. Baş dönmesi, görüşünün bulanıklaşması ve ışığa karşı aşırı hassasiyeti sadece başlangıçtı. Şimdi sakince düşünmesi ve bir kaçış planı yapması gerekiyordu.

Büyük ihtimalle alışveriş merkezinin etrafı çevrilmiştir, diye düşündü. Tracy, çılgın gibi tuvaletin içinde duvardan duvara gidiyor ve kanayan yaralarının şokunu atlatmaya çalışıyordu.

Tanrım nasıl bir belaya bulaştım, diye düşündü. Bu garip Türk'ün peşinden ölüme gidiyordu. Bir alışveriş merkezinin tuvaletinde sıkışıp kalmışlardı. Üstelik kim olduklarını bile bilmedikleri birileri tarafından öldürülmeye çalışıyorlardı.

"Mert, bir yol bulmalısın. Bizi çıkar buradan."

"Merak etme. Bir yolunu bulacağım."

Mert, tuvalet pencerelerine baktı. Ne yapacağını tam olarak bilmiyordu doğrusu. Polis sirenleri duyuluyordu, bu hem iyi hem de kötüydü. Eğer yakalanırlarsa bu her şeyin sonu olurdu. Houston'a gidip diğer Gri Takım üyesini bulmalıydı.

Mert silahını hazırladı, fazla mermisi de kalmamıştı. Tuvaletin kapısını açıp etrafa baktı. Alışveriş merkezini gezenlerin şaşkın bakışları, korku dolu bakışlara dönüşüyordu. Kanlı giysilerini değiştirecek şansı olmamıştı. O sırada asansöre takıldı gözü. Alışveriş merkezinin altına doğru inip gözden kayboluyordu. Eğer oraya ulaşabilirlerse otoparka ve oradan da dışarıya geçebilirlerdi. Merkezin giriş kapısı önündeki kişiler eğer onları arayanlar değilse mutlaka polis olmalıydı. Sivil giyimli olmaları hoşuna gitmedi Mert'in. Bunca zamandır uykuda olmasının engel oluşturduğunu gördü. Henüz ısınmamıştı. Bunun için biraz daha zamana ihtiyacı vardı.

Tracy korku içinde ona bakıyordu. Mert, gözlerinin içi ile sakin olmasını söyledi. Başını salladı Tracy. Yapacak fazla bir şey yoktu. Mert'e güvenmek zorundaydı.

"Şimdi ben 'koş' deyince koşarak karşıdaki asansöre gideceksin ve hemen en alt kat düğmesine basacaksın."

"Peki ama sen ne yapacaksın?"

"Sen orasına karışma."

"Tamam."

Mert bir süre daha kapıda bekleyen adamlara baktı. Etraflarını gözlemliyor ve onların nereye gitmiş olabileceğini araştırıyorlardı.

"Koş!"

Tracy onu duyar duymaz hızla asansöre koştu. Asansörün yukarı çıkmaya başladığı anı seçmişti Mert. Akıllıca bir hareketti. Tracy oraya vardığında asansörün kapısı açılmıştı bile. Üzerinde kanlı elbiseler olan bir kadının panik içinde asansöre bindiğini görenler ona yol verdi ve içeriye girmediler.

Tracy'nin en alt kat düğmesine basmasıyla birlikte asansör hareket etti. Bu sırada Mert'in de koşarak kendisine doğru geldiğini gördü Tracy. Asansörün dışı camdan yapılmıştı ve dışarısı görülebiliyordu. Mert koşarken uzaktaki adamlar onu fark etmişti. Adamlar silahlarına davrandılar. Kim oldukları konusunda hâlâ bir tahminde bulunmak mümkün değildi.

Her şey ağır çekimde gerçekleşiyormuş gibiydi. Tracy, Mert'in asansörün camdan yapılma dış çeperine doğru kolunu kaldırdığını ve ateş ettiğini gördü. Bir anda asansörü saran cam çeper paramparça oldu. Mert asansör yuvasına doğru zıpladı ve içinde Tracy'nin de bulunduğu asansörün üzerine kondu. Kapıdaki adamlar ne olduğunu anlayamadan siper aldılar. Mert onlara ateş etmeye devam etti. Başlarını bile kaldıramıyorlardı.

Asansör sarsılarak aşağıya inerken Mert ateş etmeye devam etti. Tracy yere kapaklanmıştı ve hiç başını kaldırmıyordu. Mermi vızıltılarını duyuyordu. Biraz sonra her yer karardı. Garaja gelmişlerdi. Mert şiddetle önündeki engelleri kırıp aşağı atladı. Bazı yaraları açılmış ve yeni yaralar eklenmişti.

"Beni takip et!"

Tracy, Mert'in peşinden koştu. İlk buldukları arabanın camını kırıp içeri girdiler. Mert düz kontağı o kadar hızlı gerçekleştirdi ki Tracy şaşırdı. Mert daha şimdi ısınmaya başlamıştı. Her şeyi hatırlıyordu. Ona öğretilen her şeyi. Yakın zaman içinde daha çok şaşıracaktı Tracy.

Araba hızla ileri fırlarken garajın çıkış kapısı önünde birisinin beklediğini gördüler. Mert hiç düşünmeden silahın tetiğine dokundu. Adam hızla kendisini çıkışın dışına atarken araba, merkezi terk etmişti. Arkalarından gelen mermilerin arabanın bagajını parçaladığını duyabiliyorlardı. Mert motorun ya da lastiklerin zarar görmemesi için dua ediyordu. Hiçbir şey olmamıştı. Uzak mesafeden aracı vurarak durdurmayı başaramamışlardı. Mert, aldıkları aracın ne kadar hızlı gittiğini görünce derin bir "Oh!" çekti. Houston'a kadar onları kimse durdurmazdı. Tabii kısa bir süre sonra yeni bir otomobil bulmak zorundaydılar ve üzerlerindeki kanlı elbiseleri de en kısa zamanda değiştirip normal bir görüntüye kavuşmak.

Yolda iyice temizlenip yeni birkaç kıyafet aldılar. Basit tişört ve pantolonlarla şimdi çok daha normal görünüyorlardı. Çok fazla konuşmadan gidiyorlardı. Bir süre sonra bir motele girdiler. Biraz nefeslenmenin ve durum değerlendirmesi yapmanın zararı olmazdı.

Mert kendisini yatağa atmış, tavana bakarak dinlenmeye çalışıyordu. Düşünmenin çok anlamı yoktu. Elinde yeterince bilgi yoktu. Ama bildiği bir şey vardı, o da birilerin onun kim olduğunu öğrendiğiydi. Bunu nasıl yapmış olabilirlerdi? Gri Takım gibi gizli bir organizasyonun içine sızılmış olabilir miydi?

Buna ihtimal dahi vermiyordu. Kurt'un bilgi sızdırması ya da bir köstebek olması ihtimalini düşündü. Bu çok saçma geldi. O zaten örgütün başıydı, böyle bir şey yapmış olmazdı. Peki, kimdi bu köstebek?

Tracy yanına geldi. Yatağa uzanıp o da dinlenmeye başladı. Aklında sadece Houston'da karşılarına ne çıkacağı geliyordu. Başka bir şey düşünemiyordu. Her an başlarına kötü bir şey gelecek korkusunu yaşamaya başlamıştı.

"Ne düşünüyorsun Mert?"

"O adamlar... Nereden buldular bizi? Bir yerlerde bir hain olmalı."

"Belki de benim soruşturduğum politikacılardan birisi uyandı ve beni takip ettirdi."

"Hayır, bunu düşündüm. O zaman bizi sorgulamak için yakalamak isterlerdi. Oysa bunlar bizi öldürmek istedi. Bizden kurtulmak istediler. Gitmemiz gereken yere gitmemizi engellemek için."

"Haklısın. Tanrım, ne kadar kötü bir durumdayım."

"Hayır. O kadar da kötü görünmüyorsun."

Tracy, Mert'in yüzündeki gülümsemeyi görünce rahatladı biraz. Ona güveniyordu gerçekten. Bir süre dinlendikten sonra yola çıkmaya hazırdılar. Yalnız Gri Takım'ın diğer üyesi de tehlikede olabilirdi. Ona hemen ulaşmalıydılar.

Luna Cafe, Houston'ın merkezindeki alışveriş merkezleri alanında önemsiz bir kafeydi. Çok fazla kişi çalışmıyordu. Mert ve Tracy kafeye girip bir masaya oturdular. Sıradan Amerikalılar girip çıkıyordu. Hemen hiçbirinin yüzünde savaş gerginliği yoktu. Kendilerinden çok uzak bir yerlerde oğullarının savaşıyor olmasından etkilenmiş gibi görünmüyorlardı. Mert bu duruma şaşırıyordu doğrusu.

Etraflarına bakınırken dikkat çekmemeye ve birbirleri ile ilgileniyormuş gibi yapmaya devam ettiler. Kontuar arkasındaki garsonlar, koşuşturup siparişleri yetiştirmeye çalışıyorlardı. Yanlarına genç bir kadın garson geldi ve ne istediklerini sordu. Basit bir şeyler söylediler, ama etraflarına bakınmaları garsonun dikkatini çekmişti. Birisini bekleyip beklemediklerini sordu. Mert, "Hayır!" derken garsonla göz göze geldi. Kadın garson geri dönüp siparişleri almaya gitti.

Mert garsonun bakışlarından rahatsız olmuştu. Acaba kendilerinin resimlerini bir yerlerde görmüş olabilir miydi? Televizyonda ya da başka bir yerde. Sipariş verirken bile dönüp bakmıştı. Belki de polisi aramayı düşünüyordu. Tedirginliği her saniye artıyordu Mert'in. Dışarıyı da gözlemlemeye başladı. Belki de bunların hepsi bir tuzaktı. Gri Takım üyesi burada çalışmıyordu belki de.

"Buradan gitmemiz gerekiyor Tracy."

Tracy, Mert'in yüzüne korku ile baktı.

18 Ekim 2007
Kuveyt

Howard Strike telefonu defalarca aradıktan sonra düşürebilmişti. Patlama sonrası Doğu Amerika'da pek çok şey bozulmuştu ve iletişim altyapısı da bunlardan biriydi. Tabii Körfez üzerinde patlayan nükleer silahlar da bazı iletişim uydularının zarar görmesine yol açmış olabilirdi.

Donald Rumsfeld telefonu eline aldığında heyecanlıydı. Uzun süredir Howard Strike ile görüşememişlerdi. Bu endişelendiriyordu Donald'ı. Strike'ın Stillson hükümetinin politikalarını destekleyen bir konuma sürüklenmesinden korkuyordu. En son konuşmalarında, *bu gizli darbe hükümetinin oyunları, ne olursa olsun bozulmalı,* diye konuşmuş ve anlaşmışlardı. Onların ne kadar tehlikeli olduklarını biliyordu Donald, insan iradesini elde edebilirlerdi. Fikirleri değiştirebilir ve istedikleri fikre sahip olmasını sağlayabilirlerdi. Bunu yapıyorlardı zaten, pek çok insana, milyonlarca insana, milyarlarca insana...

"Howard, yaptığın işleri takip ediyorum. Askeri anlamda mantıksız bir seyir izleniyor. Sanırım bunda senin parmağın var. Bu çatışmayı Sir Eli ekibinin kaybedeceği biçimde geliştirmemiz gerekiyor."

"Donald, daha önce konuştuğumuz şekilde savaşın kaybedilmesi için elimden geleni yapıyorum ama bir süre sonra bunu fark edip beni görevden alabilirler. Ve bu hükümet ortadan kalkmadığı sürece de bu işin sonunu getirmeye kararlı görünüyorlar."

"Evet, farkındayım. İran'ın saldırması için kıyı bataryalarının nedensiz yere vurulması iyi fikirdi askeri açıdan. İran saldırısı bir hayli işe yaramıştı ama Rusya'nın işe karışması her şeye tuz biber ekti. Rus-İran cephesinin ordumuzu orada durdurabileceğini düşünüyorum."

"Kıyı bataryalarının vurulmasını istediğimde çok şaşırdılar ama gemilerin güvenliği için böyle olması gerektiğine ikna edebildim onları."

"Bu durumu medyaya yansıttırmamış olman önemliydi."

"Çok garip ama bu oyun için hükümet bağlantılarını kullandım. Garip bir adam var. Onun gücü inanılmaz boyutlarda."

"Evet. Sir Eli denen bir adam. Bu adamın ortadan kaldırılması gerekiyor."

"Sence bu yeterli olacak mı?"

"Hükümeti kukla gibi oynatıyor. O olmazsa baskılarımız sonuç verir."

"Bunu ayarlayamaz mıyız?"

"Erdoğan'la konuştum. Türklerin şu an burada sağlam bir adamları var. O devreye girerse bir şeyler olabilir."

"Bu güzel. Irak hava sahasındaki çatışmanın zamanlaması çok iyiydi. Bu sayede Suudi ve İran operasyonu hızını kaybeder. Bu bize zaman kazandırır. O zaman boşluğunda Sir Eli'yi halletmek lazım. Türklerin o adamı bu işi halledebilir mi?"

"Sanırım Erdoğan'ın doğrudan bağlantısı yok ama Amerika'daki bağlantı, bu işi bitirebilecek kapasitedeymiş. Biliyorsun Washington'da patlamayı yapan adamlar."

"Eğer bunu yaptılarsa o adamı da hallederler."

"Ancak bir başka sorun var. Abdullah Gül ve bürokratlar kayıp. Onları Sir Eli'nin kaçırtmış olduğunu düşünüyoruz."

"Buna şüphem yok."

"Onları bulmalıyız ama pek şansımız yok gibi. İstihbarat ağımız Sir Eli'nin adamları tarafından delik deşik edilmiş durumda. Onu aradığımızı hemen anlayacaklardır ve her ne yapıyorlarsa yerini değiştirebilirler. Elimiz kolumuz bağlı. Bu duruma çok bozuluyorum. O Eli denen alçağı ellerimle parçalamak isterdim."

"Önümüzde çok kritik saatler var. Kara Kuvvetleri, Suudi toprakları üzerinde ilerliyor ve yakın bir zaman içerisinde kutsal toprakları kontrol altına almış olacağız."

"Bu çok çok tehlikeli ve çılgınca bir şey. Bunu yapmamalıyız. Dünyanın dengeleri bozulur. Sonsuz bir kaosun içine düşebiliriz."

"Harekâtı geciktirmeye uğraşıyorum."

"Sir Eli'nin hükümeti ele geçirmesi ve Amerika'yı akıldışı bu hareketlere yönlendirmesinin bir tek nedeni olabilir. Dünyayı yönetme konusunda işine karışabilecek her yapıyı, buna İsrail ve Amerika da dahil, ortadan kaldırmak."

"Donald, her ne yapacaksanız bir an önce yapın. İran'a yönelik nükleer saldırının başarısızlıkla sonuçlanması ipleri daha da gerdi. Sir Eli denen geri zekalı tam bir çılgın olmalı. Bütün kutsal toprakların tek sahibi olmak istiyor. Bunu yapmak için her çılgınlığa başvurabilir. Ve bunu engelleyememekten korkuyorum."

"Howard, senin verdiğin bilgiler olmasaydı S-400'ler zamanında İran'a yetiştirilemezdi. Peki Rusya'ya karşı bir cevap verilecek mi?"

"Bu çok garip ama Rusya'ya bir cevap vermeyi düşünmüyorlar şimdilik. Buna güçleri olmadığını düşünüyorlar ve bu olaydan hiç bahsetmeyecekler."

"Ben Esad'la konuştum. Türkiye'ye Dışişleri Bakanını yolluyor hemen. Erdoğan'la konuşacaklar ve Irak'taki Amerikan kuvvetlerini tehlikeye düşürüp Kutsal Toprak operasyonunu imkânsız kılacak bir harekatın düzenlenmesi için topraklarını açacaklar. Hem bu sayede Türk-Suriye ilişkileri için de bir ümit doğar."

"Donald, yaptığımız dağınıklığı toplamadan emekli olmak istemiyorum."

"Ben de."

"Bence bu insanlığa karşı borcumuz. Bu duyguları daha önceden hissetmezdim ama nedense yaptığım işlerin sonuçlarını görünce ve kime hizmet ettiğini... Her şey yerli yerine oturuyor."

"Hayatımı Amerikan imparatorluğunu kurmaya adadım ama kurmaya çalıştığım imparatorluğun basitçe parayı yöneten güçlerin eline geçebileceğini görmek uykudan uyanmamı sağladı."

"Biz ne yaptık Donald?"

"Her ne yaptıysak yerine yenisini koymalıyız. Zaman yok. Daha çabuk olmalıyız."

"Türk askerlerinin Kutsal Topraklara indirilmesi işlemi ne âlemde sence?"

"Suriye üzerinden sürekli sevkıyat gerçekleşiyor olmalı. Ancak bizimkiler yakalayamıyor. Eğer karşılaşma oluyorsa mutlaka ölümcül bir çatışma oluyordur. Henüz bana böyle bir bilgi gelmedi. Ama Türk askerlerinin Hicaz bölgesini kısa zaman içerisinde silahlandırıp savunulabilir hale getireceğinden şüphe yok. Ancak bu kesin bir savunma olmaz. Sadece zaman kazandırır. Her şey hükümetin devrilmesinde bitiyor. Sir Eli'nin ortadan kaldırılmasında. Bunu yapacak olan kişi ne kadar önemli bir iş üzerinde olduğunu bilse..."

Büreyde yakınları/ Suudi Arabistan
22 Ekim 2007

Amerikan 1. Tank Tümeni Suudi topraklarında hızla ilerliyordu. Çölü göğe saçarak geliyorlardı. Hedeflerinde Kutsal Toprakların olduğu bölgeyi ele geçirmek vardı ve bu görevin kendisi bile askerlerin sicim gibi gerilmesine yol açıyordu. Üzerlerinde karanlık bulutların dolaştığını hissediyorlardı. Oraya gitmek istemiyorlardı, içlerinden sürekli olarak kaçmak geliyordu ama kısılıp kalmışlardı burada. Kimse bir şey yapamazdı. Hepsi verilen emirleri yerine getirmek zorundaydı.

Tank tümeninin öncü kuvvetleri arasındaki zırhlılar, üzerlerine doğru gelen RPG roketleri nedeniyle hat boyunca dağıldılar ve gelişigüzel makineli top ateşi açtılar. Bradley zırhlılarının bazıları vurulmuş, ama imha olmamıştı. Ateşin RPG seviyesinde kalacağını zannederken çöle gömülmüş olan makineli tüfek yuvalarından ağır makineliler ve uçaksavar silahlarının kıvılcımları fışkırmaya başladı. Akşam olmak üzereydi ve göğü boyayan güneşin pembeliğine yerde etrafa serseri bir halde saçılan alev parçacıklarının gösterisi eklenmişti.

Öncü tank ve zırhlı takımı hemen telsizlerden gerideki ana birlikleri uyardı. Henüz direnişin ne kadar güçlü olduğuna dair bir emare yoktu. Ancak birkaç dakika sonra Bradleyler'den birisi sanki gökten geliyormuş gibi yerden fırlatılıp havada geniş bir kavisle araca üstten çarpan bir füzenin parlaklığı ile yok oldu. Durum gayet ciddiydi. Çölün içinde ciddi bir kuvvet gizlenmişti ve bu durumda tank tümeninin ilerleyişini bir süre için durdurması gerekiyordu.

Tümen Komutanı buna çok sinirlenmişti. Savunma Bakanından aldığı şiddetli tehdit ve küfür dolu telefon nedeniyle daha da gerilmişti. Genelkurmay yönetmiyor gibiydi sanki bazı şeyleri. Hiç tanımadığı sivil bir adam açıp ona ciddi anlamda kötü sözler söylemiş ve bir an önce Hicaz'ı ele geçirmelerini istemişti.

"Öncü bir, orada neler olduğunu bildirin. Tümen hareketi neden durdu?"

Telsizdeki cızırtılara patlama ve ateş sesleri karışıyordu.

"Komutanım, şiddetli bir direnişle karşı karşıyayız. Siper alabileceğimiz bir yer de yok. Öncü kuvvette kayıplar var, ancak kayıpları toplayamayız şu anda."

Asker heyecanlıydı ve konuşurken bir yandan da başka şeylerle uğraşıyormuş izlenimini uyandıran biçimde gelgitli bir tonda geliyordu sesi.

"Kim direniyor?"

"Bilemiyoruz efendim. Çok profesyonelce. Suudilerden bekleyemeyeceğimiz kadar şiddetli ve kararlı bir ateş var."

"Ne demek istiyorsun yani, geri mi çekilelim? Buna zamanımız yok. Çabuk olmalıyız. Hemen hava desteği çağırın."

"Çağırdık komutanım, ama ana birliklerden yardım istiyoruz. Tekrar ediyorum, yardım istiyoruz."

Bu sözler Komutan Tümgeneral Smith'i çileden çıkartmıştı. Yüzlerce tank, zırhlı araç ve binlerce askerden oluşan koca konvoy durmuştu ve durdukları her an tehlike büyürken, artık New York'a taşınmış olan başkentten gelen baskı da artıyordu.

"Hava Kuvvetlerinin bu engeli derhal ortadan kaldırmasını istiyorum. Şimdi emir vereceğim, güdümlü roket ateşi başlatıyorum. Bana gerekli koordinatları verin."

"Hemen koordinatları geçeceğim efendim, ama çölde sürekli hareket ediyorlar ve geniş bir alandalar. Çöl yükseltilerinin içini demir ya da benzeri sert cisimlerle kayalık bir alan haline getirmişler."

General Smith'in sinirleri iyice geriliyordu. Uzun zamandır bu durumdaydı zaten. Sinirleri artık o kadar harap olmuştu ki mantıklı karar alamamaktan korkuyordu. Ancak asla böyle bir düşünceyi üslerine iletemezdi. O bir askerdi ve ne durumda olursa olsun emirleri yerine getirmeliydi. Bu onun sonu demek bile olsa, emirleri yerine getirecekti.

GMLRS güdümlü roket sisteminden fırlatılan beş yüz kiloluk roketler, öncü kuvvetlerin belirttiği koordinatlara doğru inmeye başladı. Değişik mermilerle yapılan ateşler nedeniyle ortalık toz duman olmuştu. Siyah dumanlar çöl kumuna karışıyor ve parçalanan yapay siperler nedeniyle geniş bir alan, insan hayatı için tamamen tehlikeli hale geliyordu.

Onlarca roketin ateşlenmesinin ardından ateş kesildi. Öncü zırhlı kuvvetlere bağlı araçlar ve askerler, alana doğru yaklaştılar. Bu en tehlikeli andı. Bir süre yaklaştıktan sonra hiç ses gelmediğini fark edip rahatladılar.

On kadar Amerikalı asker, yavaş yavaş roketlerin düştüğü alana doğru ilerlemeye başladı. Zırhlı araçlar biraz açıklarındaydı. Korkunç bir karmaşa vardı etrafta. Biraz ilerilerinde kum içine gömülmüş insan bedenleri gördüler. Roketler işe yaramış olmalıydı. Ayrıca etrafa saçılan küçük bombacıklara basmamaya gayret ediyorlardı. Patlamamış bombalar her an birilerinin canına mal olabilirdi.

Teğmen Johan, dikkatli biçimde alana girdi. Askerlerinin geride kalmasını ve etrafa dağılmasını istedi.

Müfrezedeki askerler dağıldı. Sessizlik, burada ölümün kol gezdiğini söylüyordu.

Kapalı devre telsizlerinden birbirleri ile sürekli konuşuyorlardı. Herkes arkadaşının nefesini duyabiliyordu.

"Burası çok tehlikeli. Nasıl bir direnişin merkezinde olduğumuzu bilmiyoruz. Canlı kalanlar olabilir."

"Teğmen, dikkat edin!"

"Siz de. Her an siper alacak gibi atın adımlarınızı."

Askerlerden birisi yere eğildi. Vurulmuş bedenlerden birisini kaldırıp yüzüne baktı.

"Teğmen. Bu çok garip. Buradaki ölülerden birinin yüzüne bakıyorum. Burnu kemerli birisi. Bu adam Arap'a benzemiyor."

"Ne, Arap değil mi?"

Kapalı devre sistemdeki konuşma kısa süre içinde General Smith'in önüne kadar gelmişti.

"Ne, demek direnişçiler Arap değil? Bu nasıl bir saçmalık!"

"Komutanım, saçları askeri kesim. Bu adamlar asker. Ama üzerlerinde hiçbir kimlik ibaresi yok."

"Bana hemen birkaç tanesinin ölüsünü getirin."

Teğmen Johan, bu emri diğerlerine iletti. Askerlerden ikisi yerdeki cansız bedenleri alıp geriye doğru taşımaya başladılar.

Bu arada birkaç yüz metre ileride...

Nişangâhın tam ortasında yavaşça ve dikkatli bir şekilde yürümeye çalışan askere yöneltmişti tüm dikkatini. Yanında duran komutanı dürbünü ile durumu gözlemliyordu. Orada kaybettikleri askerleri nedeniyle üzgündüler ama görevin tehlikesi ve dönem şanslarının azlığı işin en başından belli olmuştu. Neredeyse gönüllüydüler. Kutsal Toprakların savunmasında yer almak, herkesin gönüllü olabileceği bir şeydi.

"Mehmet, dikkat et. Onu tam yüzünden vurmalısın. Üzerinde çelik yelek var."

"Tamam komutanım." Keskin nişancı tüfeğinin kabzasını kavradı ve ateşe hazırlandı.

Kayseri Komando Tugayı, dünyada eşi benzeri az bulunur bir harekâtla Suudi topraklarına girmişti. Takımlara ayrılıp Suriye bağlantısı üzerinden gizlice çölü geçmiş ve Amerikalıların haberi olmadan Hicaz'a yaklaşmışlardı. İki tabur Büreyde etrafına yerleşirken, iki tabur da tank tümeninin yolunu kesmek üzere geniş bir alanda yerli halkla beraber direniş hattı oluşturmuştu.

Ancak Amerikalıların bundan haberi yoktu. Tümen ilerledikçe daha fazla direnişle karşılaşacaktı.

Mehmet ateş edince birkaç kilometre ötede gömülü bulunan havan siperlerinden ateş yağmaya başlayacaktı. Amerikan tümeni gelmeden önce havan ayarları yapılmış ve deneme ateşleri ile neredeyse kesin vuruş sağlayacak veriler elde edilmişti. Türk taburundaki ileri gözlemciler ateşi yönlendirecek ve tümene büyük zayiat verdirmeye çalışacaklardı.

Ve her şey Mehmet'in keskin nişancı tüfeğinden çıkacak bir mermi ile başlayacaktı. Ortalık cehenneme dönmek üzereydi. Çok şiddetli saatler bekliyordu onları, büyük ihtimalle pek çoğu bir daha ülkesini görmeyecekti.

Mehmet, hedefe odaklandı, bedeni yay gibi gerilmişti. İçinden duasını okudu ve ateş edeceği insanın yüzüne baktı. Onun ailesini düşündü. Onun öldüğünü duyduklarında yaşayacakları acıyı geçirdi aklından. *Keşke bunu yapmak zorunda olmasaydım, keşke o kendi ülkesinde olsaydı ve onunla dost olabilseydim,* diye düşündü.

Tetiğin boşluğunu alıp hafifçe itti. Bir pof sesi duyuldu sadece. Hedefteki askere sesten önce ulaşan başka bir şey vardı: 7,62 mm çaplı mermi, Teğmen Johan'ın tam yüzünün ortasında patladı.

Teğmen metrelerce geriye uçtu, ayakları yerden kesilmişti. Müfrezesindeki askerlere şok dalgası birkaç saniye sonra ulaştı. Neye uğradıklarını şaşırdılar. Ama karşı tarafta daha başka keskin nişancılar da vardı. Birkaç mermi daha müfrezedeki diğer askerleri hedeflemişti. Yere düşenlerden bazısı o anda öldü, kimisi ise ilk atış için şanslıydı ve yerde haykırıyordu.

Gerideki zırhlı araçlardaki askerler, öncü müfreze askerlerinin birer birer yere düştüğünü görünce termal kameraları ile ufku taramaya başladılar, ama kesinlikle kimseyi görmüyorlardı. Ancak bir süre sonra çok uzaklardan bir silah yansıması ile aslında kendilerinin bir tuzağa çekilmiş olduğunu anlayabildiler.

Tabur Komutanı Binbaşı Hakan, havancılara emir verdi. Durmaksızın ateş edilecekti. Havan toplarının belirlenmesi zordu. Bu gerçekleşene kadar tümenin geri çekilmesi için baskı yapılacaktı.

Bu sırada uzakta, yerden metrelerce yukarıda, hızla uçan Amerikan Apacheleri görüldü. Ölüm makineleri, kan kokusunu almış köpekbalıkları gibi hedefe üşüşmek için uğraşıyordu.

Binbaşı Hakan, Apachelerin geldiğini görünce acele etmesi gerektiğini düşündü. Metal Fırtına operasyonu nedeniyle hayli deneyimliydiler. Ankara'yı saran Amerikan kuvvetlerine en ağır kaybı verdiren komando birliği olarak bu göreve özel olarak seçilmişlerdi.

Yakın zaman içerisinde Hava Kuvvetlerinin de bölgeye doluşacağını biliyordu. Bu artık ezber haline gelmiş bir pratikti. Hazırlıklıydılar bu nedenle. Tamamen zırhsız bir kara birliğinin aslında pek çok taşınabilir silahla bir tank tümenini nasıl durdurabileceğini göstermek istiyordu.

İki tabur asker yeterli değildi belki, ama tugayın geri kalanı daha geniş bir alana yayılmıştı.

Havan topları Binbaşı Hakan'ın emriyle ateşlenmeye başladı.

Öncü zırhlılardaki askerler aracın üzerindeki kapaktan dışarı çıkmış, makineli ateşi için hedef arıyorlardı. Zaman zaman hedefsiz ateşlerle yaralı ve ölü halde yerde yatan müfreze askerlerini korumaya uğraştıkları belliydi.

Birden havayı yaran bir ıslık sesi duyuldu. Hemen ardından zırhlılardan birisinin çok yakınına 120 mm'lik büyük bir havan mermisi düştü ve parçacıkları, aracın üzerindeki askeri ağır yaraladı. Zırhlılar hareket etmeye bile fırsat bulamadan havan yağmuru yoğunlaşmaya başladı.

"Komutanım, direniş çok farklı bir hal aldı. Sanırım çok iyi gizlenmiş bir cephenin tam önünde siperleri görmeden bekliyoruz."

General Smith'in gözleri kan çanağına dönmüştü. Bu artık kişisel bir konuydu neredeyse. Kimse umurunda değildi ve ne olursa olsun önüne çıkanları parçalayacaktı.

"Havan ateşinin geldiği yeri bulun. Apacheler yakınınızda, hemen onları devreye sokun, bütün havan noktalarını yok etsinler."

"Komutanım..." Sesler yoğunlaşıyor, telsizdeki askerin sesini bastırıyordu nerdeyse. "Burada çok kesif bir ateş barajı oluştu efendim."

"Hava Kuvvetleri ne halt yiyor? Orada koca bir gözetleme bölüğü düşman ateşi altında. Çabuk bana Hava Kuvvetlerini bağlayın. Bu işi yapamayacaklarsa defolup gitsinler."

"Efendim Hava Kuvvetleri Suudi hava savunması ile uğraşıyor. Ayrıca her an gelebilecek bir saldırıya karşı Kara Kuvvetlerini koruduklarını ve yerdeki işi karacıların bitirmesi gerektiğini, eğer karacılar işlerini yapamıyorlarsa geri çekilip beklemelerinin uygun olacağını söylüyorlar."

General Smith, bir süre komuta aracının içinde başını öne düşürüp güldü. Yardımcısı olan subaylar onun bu halini beğenmemişlerdi. Generalin birden askeri kamuflajını ve miğferini çıkardığını gördüler.

"Komutanım?"

"Ne var? Demek karacılar işlerini yapamıyorsa geri çekilip beklesinler ha... Ben onlara bu işin nasıl yapılacağını gösteririm."

"Siz nasıl emredersiniz efendim."

Emir subayları hazırlıklarına başladı. Artık tam anlamıyla savaş düzenine geçildiğinin işaretiydi bu aslında. Demek ki Mekke ve Medine'ye giden yol, kanlı ve zor olacaktı. Kendilerini yüzyıllar öncesinin Haçlıları gibi hissediyorlardı. Çok şiddetli olmayan kum fırtınaları, etraflarındaki manzarayı son derece gerçek üstü bir havaya bürüyordu. Sıkıca sarıldıkları silahları ve ekipmanları dışında dayanabilecekleri hiçbir şey yoktu. Yıllık elli bin dolar için buradaydılar ama bu operasyonu sadece bu kadar paranın yaratacağı motivasyonla gerçekleştiremezlerdi. Başka motivasyonlara ihtiyaçları vardı, ama bunun için zamanları yoktu.

1. Tank Tümeninin ana kolları ayrılıp çöl boyunca yayılmaya başladı. İhtişamlı bir görüntüydü ama neyin içine doğru sürüklendiklerini bilmiyorlardı.

Apacheler uzaktan belirledikleri siperlere roket yağdırmaya koyuldular. Bazı siperler onları kandırmak için yapılmıştı. Bazılarının içindeyse gerçekten askerler ve yerel halk vardı.

Binbaşı Hakan zamanını bekliyordu. Apacheler havaya ateş açılmadığını ya da bu tür silahların olmadığını düşünerek iyice yaklaşmaya başlamıştı. Gökyüzünde A-10 uçakları da beliriyordu. Ortalık iyice kızışırken tank tümeninin ana kollarının, arkadan yaklaşmakta olduğunu gördüler. Yaklaşık bin Türk askeri ve iki bin sivile karşı on beş bin Amerikan askeri, yüzlerce tank ve hava saldırı aracı karşı karşıyaydı.

A-10'ların yeni sensörler sayesinde birkaç isabetli atış yapması zamanı hızlandırdı. Binbaşı Hakan yerinden çıkıp birkaç siper ötesine gitti. Havan ateşi yavaşlamıştı. Apacheler tehdit oluşturuyordu ve zaten birkaç havan siperini vurmuşlardı. Üstelik insansız uçaklar da hellfire füzeleri ile avlayacak hedef arayan leş kargaları gibiydi. Havada görülmeleri zor olduğu için beklenmedik bir anda kötü bir darbe vurma şansı yakalıyorlardı.

"Apacheleri avlayın!"

RPG ve Redeye taşınabilir uçaksavarları ile siperlerden çıkan Türk askerleri, çölün kavurucu sıcağına ve yüzlerine kamçı gibi çarpan kum fırtınasına rağmen hedeflerine doğru nişan almayı başardılar. Çöle uyum sağlayan kıyafetleri, görülmelerini engelliyordu ama havada uçan katillerin sensörlerine yakalanırlarsa kurtuluşları olmazdı.

Aniden gökyüzüne doğru yükselen ışık huzmeleri görüldü. Bu huzmeler tank tümeninin ana kolları tarafından da fark edilmişti. Herkes huzmeleri görünce nefesini tutup o tarafa doğru bakmaya başladı. Uzaktan yavaş gibi görünen ses üstü silahlar, avlarına birer kene gibi yapışıp patlamaya başladı.

Birkaç dakika sonra yerden uçaksavar makineli ateşi açılmış ve atılan onlarca RPG de bunlara eklenmişti.

O bölge şimdi bir helikopter pilotunun olmak isteyeceği son yerdi. Beş Apache havada infilak etmiş ve diğerleri de ağır yaralanarak geri çekilmek zorunda kalmıştı.

General Smith yutkundu. Havadaki savaşçı kuşların birer birer aşağı inişi ve telsizlerden duyulan yardım çığlıkları, bütün duygularını harekete geçirmişti. Şimdi vahşi birisiydi o. Sadece avını yakalayıp parçalamak isteyen birisi.

"Bir tank kolu derhal ateş gelen bölgeye dalsın. Orada ne olursa olsun geri çekilmeyecekler. Gerekirse hepsi vurulsun ama o adamları tam olarak ortaya çıkarın. Bana hedef gösterin. Bana hedef gösterin!"

General Smith'in sesi kısılacaktı neredeyse. Silahına sarılmış, bir Humvee'nin arkasında, etrafa bağırarak tank kollarını denetliyordu. Askerler onun birkaç metre yakınına dahi gelmek istemiyordu.

Öne çıkan on tank ve yirmi kadar Bradley zırhlı aracı, ateş açılan bölgeye yaklaştı. Siperlerin sıklaşmaya başladığı bir noktaydı. Zırhlı araçlar şüpheli gördükleri her yükseltiye ateş ederek yaklaşıyordu. Bu sırada yeri sallayan bir patlama meydana geldi. Siperlerin başladığı noktalardaki yükseltilerden bazıları patlayıcılardan oluşmuştu ve buraların vurulmamış olması büyük şanstı.

Patlamanın etkisi ile yoğun bir duman ve kum bulutu, gökyüzüne yükselmeye başladı. Patlama, Bradley aracının hemen yanında olmuştu ve patlama ile birlikte zırhlı savaş aracı tamamen hurda haline gelmiş, içindeki sekiz asker de hayatını kaybetmişti. Bu patlamanın ardından birkaç siperden roket fırlatıldı ve diğer araçlara hafif hasarlar verdirildi. Tanklar gelişigüzel ateş açarak bölgeye ilerlediler. Yok olma pahasına ilerleme emirleri sürekli olarak bizzat General Smith tarafından veriliyordu.

Tanklar yaklaşmaya devam etti. Düşmanlarının gücünün nereye kadar gittiğini anlamaya çalışıyordu General Smith. Bu patlama ona bazı veriler sağlamıştı. Demek tuzaklarla dolu bir çatışma ortamına sürükleniyorlardı. Bu kötüydü. Daha başka neler olduğunu görmek istiyordu.

Yine tam belli olmayan başka noktalardan 106 mm geri tepmesiz top atışı yapıldı. Bu mermiler bir iki tanka isabet etmişti. Daha sonra havan sesleri duyuldu. General Smith tüm bunları birer birer not alıyordu. Aslına bakılırsa hayli düzenli bir ordunun vereceği cevapları veriyordu düşman. Arap olmadıklarını, kendilerine getirilen cesetlerden anlamıştı. Bazı Arapların da şimdi ölüler arasında olduğu söyleniyordu, ama esas çatışmayı sürükleyen bu yabancı askerlerdi. Rus olup olmadıklarını düşündü ama, *Ruslar neden bu kadar azimli savaşsınlar ki,* diye geçirdi içinden. Aslında düşünmek istemediği diğer olasılık, bu adamların Türk olmasıydı ki gitgide bu fikre doğru yaklaşıyordu. Karşısında Türk askerleri vardı ve çok hazırlıklıydılar. Nasıl olmuştu da bu kadar ani ve gizli bir operasyonu önceden haber alıp bu kadar geniş bir teşkilatı hazırlayabilmişlerdi?

General Smith, artık sakin olması gerektiğini düşündü. Düşmanını küçümsemekten vazgeçmeliydi. Karşısında ciddi askerler olduğunu ve ordusunu durdurmaya çalıştıklarını fark etmişti. Smith zeki bir insandı. Her ne kadar psikolojisi yıpranmış olsa da karşısındaki adamların zaman kazanmaya çalıştığını ve asıl savaşın burada gerçekleşen savaş olmadığını düşündü. Ama bunları düşünmek onun görevi değildi. Görevi, Mekke ve Medine'yi ele geçirmek ve bu yolda karşısına çıkan bütün engelleri yok etmekti.

O zaman şu işi bitirmeliyim, diye düşündü.

Tank tümeni hareket edemiyordu. Tank kolları geniş bir alanda açılmış ve direniş bölgesini çembere almak üzere harekete geçmişti, ama çemberi kapatacak kadar alan bulamamışlardı. Hayli uzak noktalarda bile havan ve yüzlerce roket mermisi ile uğraşmak durumunda kalıyorlardı.

"Efendim kuzey ucundaki tank kollarında kayıp var. Üç M1'e değişik tipte silahlarla saldırı düzenlenmiş ve imha sağlanmış. Evet, çok sayıda zırhlı araçta da çeşitli seviyelerde hasar mevcut."

General Smith, durumu gülünç buluyordu. Hiçbir istihbarat, son üç haftaya kadar en ufak bir savunma hattından bahsetmiyordu. Bahsedemezdi de, çünkü bu beklenmeyen bir saldırı olacaktı. Öyle olmalıydı. Sadece üst düzey generallerin bildiği, güya çok gizli bir operasyondu.

Kahretsin, bu Washington'ın karıştığı her iş pisliğe sarmak zorunda mı, diye düşündü.

Hava Kuvvetleri, yerdeki hava savunma bastırılana kadar operasyonları askıya aldı. Yerden çok miktarda hava savunma füzesi atılıyordu. Kara birlikleri o alanları ele geçirip bu savunmayı bastırmalıydı. Yoksa gereksiz yere helikopterler düşüyordu.

General Smith, sürekli olarak aranmaya başlamıştı. Operasyon neredeyse durma noktasına geleli saatler oluyordu. Bu saatlerin ne kadar kıymetli olduğunu bilen Stillson hükümeti de her düzeyde generale baskı yaparak sonuç alabileceğini düşünüyordu. Yani en azından Sir Eli böyle düşünüyordu.

Smith subayları ile toplandı. Yapılan değerlendirme toplantısında ortaya çıkan sonuç iyi değildi. Tümenin sağlıklı ilerleyebilmesi için önlerinde oluşan hatta arkadan başka bir birliğin saldırması, tümenin geniş bir yarı çap çizerek direnişin etrafından dolaşması ya da direnişi gerçekleştiren güce önden uzun bir cephe savaşı açması ve topçu desteği ile tankı bir arada kullanarak klasik saldırı biçimlerini denemesi gerekiyordu. Her üç seçenek de zaman açısından başarısızlık olarak değerlendirilecekti ve ne kadar süreceği de tam belli değildi.

Smith purosunun ucunu ısırıyordu. *Kapana kısıldım galiba,* diye düşünmeye başlamıştı. Bu kadar güçlü ve profesyonel bir hattın önüne dikilmiş olmasına çok sinirlenmişti.

"Bu arada topçu bataryalarının önümüzü açmak için ateşe başlamasını istiyorum. GMLRS bataryaları da hedefe benzeyen her şeye ateş etsin."

Etrafındaki subaylara baktı. Hepsi de iyi birer savaşçı gibi görünüyordu ama susuyorlardı.

"Beyler, böyle durumlarda çıkış yolu bulmak için para aldığımızı size hatırlatmama gerek var mı bilmiyorum."

Subaylardan birisi ıkına sıkıla bir şeyler söylemek için ağzını açtı ama sustu hemen.

"Evet, Bay Harold, bir şey yok mu?"

"Hayır efendim, yok."

"Komutanım. Benim bir fikrim var."

"Bu güzel Bay Daniel. Lütfen buyurun, sizi dinliyoruz."

"Bence bütün gücümüzle hattı ortasından delelim ve sonra

bir süre ilerledikten sonra geri dönüp diğer bölümleri arkadan vuralım. Sıkıştıralım yani."

"Hah, hah ha.. Bay Daniel. Muhteşemsiniz. Bunu neden düşünemedik? Yani tümenin yarısını kayıp verelim, öyle mi? Peki Kutsal Toprakları, kolları başları sarılı ve ölmüş askerlerle mi teslim almayı planlıyoruz?"

"Komutanım, evet kayıplar büyük olacak. Ama dediğiniz kadar olacağını sanmıyorum. Ve eğer amaç Kutsal Toprakları almaksa, o zaman askerlerinize bunu anlatmalısınız. Bunun bir Haçlı Seferi olduğunu anlatmalısınız."

General Smith, Yarbay Daniel'in yüzüne baktı, mimiklerine, gözlerinin içine. Aslında önlerindeki tek yolu söylüyordu. Tek çözüm yolu buydu. Bir generalin alacağı en zor kararı alması gerekiyordu. Askerlerini ölüme göndermek. Ama her komutanın başına gelebilirdi bu ve Smith, hayatının kararını vermek zorunda olduğunu biliyordu.

"Sanırım haklısınız. Çok fazla düşünmeye gerek yok. Teşekkürler Bay Daniel, askerlerime gidip bu görev uğrunda ölmek zorunda olduklarını söylemem gerek. Umarım beni anlarlar. Tanrım, bu gerçekten de komik bir durum. Onlara ölmelerini söylüyorum. Ve bunu bir Haçlı zihniyetiyle yapmaları gerektiğini. Oysa onlar sadece ayda dört bin dolar kazanmak için bu işe girmişlerdi ve birden kendilerini sanki zaman makinesinin içinde buldular."

General Smith, subaylarına baktı ve dışarı çıktı. Humveesi ile askerleri arasında dolaşmaya başladı. Kendinden geçtiğini hissediyordu. Humvee'nin içine pek çok silah doldurmuştu Smith. Kendisi de bu çılgınca savaşta yer almak istiyordu. Sinirleri çökme aşamasındaydı ama sigara ve kahve içerek ayakta durmaya çalışıyordu.

Geniş alanda toplanan erler ve subaylara bir konuşma yaptı Smith. Onlara mümkün olduğunca her şeyi anlatmaya çalıştı. Birazdan ölmeleri gerekeceğini de söylüyordu. Bunu açıkça ifade etmişti. Askerler şaşkın şaşkın birbirlerine bakıyorlardı.

Binbaşı Hakan'ın diğer askerlerden bir farkı yoktu. Hepsi aynı sivil kıyafetler içerisindeydiler. Ancak aynı sivil kıyafetleri giyerek yine de bir askeri nizam oluşturmaya çalışmışlardı.

"Komutanım, garip bir biçimde dizilmeye başladılar. Mızrak başı gibi."

"Hah Alper, doğru söyledin işte. Sanırım onları kötü sıkıştırdık burada. Ve başka çareleri kalmadı. Bütün güçleri ile üzerimize yüklenecekler."

"Evet komutanım. Tuzağa giriyorlar yani."

"İnşallah öyledir. İnşallah B-52'ler falan gelip de halı bombardımanı yapmaz."

"Valla komutanım bilmem, ama benim her yerime kum doldu. Burada daha ne kadar kalacağız? Gece olacak neredeyse, birazdan ayaz başlar. Sanırım gecenin karanlığından yararlanmak isteyecekler."

"Bütün askerler gece görüşlerini takmaya başlasın. Pillerini falan kontrol etsinler."

"Baş üstüne komutanım!"

Teğmen Alper, Binbaşı Hakan'ın yanından ayrılıp diğer siperleri dolaşmaya başladı. Binbaşı ise sürekli olarak Amerikan tümeninin hareketini gözlemliyordu. *Hava desteksiz kalmış olmalılar ya da geniş çaplı hava desteğini bekleyemeyecek kadar acele ediyorlar,* diye düşündü.

C-4 denizinin üzerine geldiklerinde hayli kayıp vereceklerini bilmiyordu Amerikalılar. Bu Binbaşı Hakan'ın o an aklına gelen bir fikirdi. Bedevilerin elinde nereden geldiği belli olmayan birkaç ton C-4 olduğunu öğrenmişti. Bütün C-4'leri belli bir derinliğe gömmüş ve etraflarına da binlerce mermi, havan, RPG mermisi ve bulabildiğince 155'lik obüs mermisi yerleştirmişti. Bir çeşit cephanelik oluşturmuştu, ama amaç bunu depo olarak kullanmak değil, Amerikan tank birlikleri üzerlerinden geçerken patlatmaktı. İnanılmaz bir ateş ve ışık gösterisi olacaktı. Tabii kanlı ve dehşetengiz bir patlama olacağına da şüphe yoktu.

Patlamanın sonuçlarını tahmin etmekle beraber kendilerini bunu yapmaya mecbur hissediyorlardı. Çünkü eğer Amerikan tümeni bu hattı geçerse kısa süre içerisinde Büreyde'yi alır, sonrasında da Medine ve Mekke'nin düşmesi kolay olurdu.

Kayseri Komando Tugayının geri kalan üç bin askeri Medine yakınlarında, Binbaşı Hakan'ın oluşturduğundan daha güçlü bir savunma oluşturmuştu. Suriye, Ürdün hattından o kadar rahat geçmişlerdi ki, kısa süre içerisinde savunma hatları tarihinde rekor olabilecek bir sürede güçlü bir hat oluşturmuşlardı. Ancak ilk hattın ortaya çıkması nedeniyle şimdi Amerikan Hava Kuvvetleri daha dikkatli davranıyor ve yerde gördüğü her askeri düzenek benzeri yapıya saldırıyordu.

Henüz Kutsal Topraklar üzerinde savaş uçağı uçmamıştı. Bunu yapmaya hiçbiri cesaret edemiyordu. Ancak bir yere kadar geldiklerinde bunu yapmaya cüret edebileceklerine şüphe yoktu. Suudi yönetimi, sürekli olarak finans bağlantılarını kullanarak Amerikan operasyonunu durdurmaya çalışıyordu. Bunun dışında yapabilecekleri fazla bir şey yoktu. Suudi birlikleri çeşitli yerlerde çatışıyordu ama bu son derece etkisiz kalan bir direnişti. Amerikan kuvvetleri Kral Halid gibi askeri birliklerin yoğun olduğu yerlere ani hava saldırıları düzenlemiş ve beklenmeyen bir panik etkisi yaratarak askeri hareketliliğin başlamasını engellemişti. Metal Fırtına benzeri bir operasyon uyguluyorlardı. Ama Metal Fırtına'nın yansımalarına takılmışlardı şimdi.

Suudiler de Türk askerlerinin oluşturduğu hattın benzeri bir hattı oluşturmak için birkaç yerde deneme yapmışlardı, ama yoğun hava saldırılarına uğramışlardı. Türk askeri kazandığı deneyimle Amerikan ordusunun nerede nasıl davranacağı konusunda çok bilgi sahibiydi.

Kral, Suudi toprakları üzerinde işgalin kabul edilemeyeceğini, bütün vatandaşların hayatlarını kaybetme pahasına işgalcilere direneceğini açıklamıştı. Ayrıca İslam dünyasına bu işgali durdurmak için harekete geçme çağrısı yapılmıştı.

Sudan'dan deniz üzerinden karşı tarafa geçen siviller, Türk askerlerinin bulunduğu hatta yönlendiriliyordu. Şimdi üç bin Türk askerinin bulunduğu bölgede yedi sekiz bin silahlı sivil birikmişti.

Tugay Komutanı Tuğgeneral Hasan Kara, sürekli olarak cep telefonu ile Binbaşı Hakan ile konuşuyordu. Onların ne kadar tehlikeli bir görevde olduklarını biliyordu ve her an tamamen imha edildiklerine dair bir haber gelecek diye korkuyordu. Ama başarı haberleri geldikçe sevinmeye başlamıştı. Aslına bakılırsa, bu hattın bu kadar dayanması beklenmiyordu. O hat çoktan Amerikalılar tarafından yok edilmiş olmalıydı, ama anlaşılan, orduları hareket kabiliyetini değişik nedenlerden dolayı yitirmişti.

"Oğlum telefona çok patlama sesi geliyor."

"Bizim onlar komutanım. Havancılar sürekli hareket halinde. Siper değiştiriyoruz. Adamlar yoksa hemen vuruyorlar."

"Zayiatın çok mu oğlum?"

"Komutanım, elliye yakın şehidim var. Bir o kadar da yaralı. Sivillerden de epey kayıp var, ama onları sayamıyoruz."

"Saymak için uğraşmayın. Orası çok sıcak sanki."

"Öyle komutanım. Şimdi büyük bir saldırıya başlıyorlar. Hakkınızı helal edin. Bu saldırıyı mümkün olduğunca uzun tutmaya çalışacağız. Bu da size zaman kazandırır inşallah."

"Her geçen saat hatlarım kuvvetleniyor oğlum, ama sanki sana yardıma gelsem mi diye düşünüyorum."

"Hayır komutanım, buraya gelecek askerler bize benzer. Burası tam cehennem. Birazdan daha da beter olacak. Ama bilmiyorum. Elimden geleni yapacağım."

"Bana sürekli haber ver."

"Baş üstüne komutanım."

Binbaşı Hakan, telefon konuşmasına son vermesi gerektiğini düşündü. Amerikan ileri harekâtı başlamıştı. Tonlarca zırhın ardına saklanmış binlerce asker çölü birbirine katarak hafif ve orta güçlü silahlarla donanmış birliğe doğru geliyordu. Bu, savaş tarihinin en dramatik anlarından birisiydi. Çok yukarılardan bakan birisi, çöldeki tabloyu net biçimde görebilirdi. Bir avuç savaşçının üzerine doğru gelen bir tsunami dalgası gibiydi görüntü.

Binbaşı Hakan, askerlerinden bütün benliklerini, yaklaşan kuvvetlere vermelerini istedi, sadece onları düşüneceklerdi.

Tank tümeninin ilk dalgaları öndeki yerel halkın oluşturduğu siperlere çarptı. Halkın direnişi fazla sürmedi. Hafif silahlar ve roketlerle bir süre direndiler, ama kısa süre sonra hepsi siperinde ölmüştü.

Hakan, emir vermek için bekliyordu. Saldırının ilk hatta çarpması üzerinden saatler geçmişti. Bu savaşın belki de tarihe geçmeyecek, ama geçmeyi hak edecek bir savaş olacağını görebiliyordu.

Askerlerin bir gözü Hakan'daydı. Onun yay gibi gerilmiş haline bakıyor ve emir vermesi için sabırsızlanıyorlardı. Aslında Suudi direnişçiler beklenenin ötesinde başarılı olmuş ve daha çok tankın C-4 denizi üzerinde birikmesini sağlamışlardı. Bu başarının bedelini kanla ödüyorlardı.

"Komutanım, ana saldırı kolları direnişi ezmek üzere denizin üzerinde birikti."

"Evet! Görüyorum. Hazır olun."

Patlama mühendisleri hazırlandı. Çok titiz bir çalışma yapmışlardı. Elleri istemeye istemeye düğmelere gidiyordu. Böyle büyük bir darbe vurmak istemezlerdi. İçleri acıyordu.

"Patlat!"

Binbaşı Hakan'ın sesi toktu. Rüzgâr uğultuları arasında zorlukla duyulmuştu.

Patlayıcı mühendisi askerler düğmelere bastılar. Önce korkunç bir gürültü, gökyüzü yarılıyormuş gibi kulaklarını zorladı. Şiddetli bir basınç dalgası yeryüzünü havaya kaldırıp kumların üzerinde gerçek kum dalgaları yarattı. Daha sonra yerin içinden yükselen alev tabakası geniş bir alanın içine doğru çökmesine neden oldu. Bu çöken alanın içinde pek çok tank ve zırhlı araçla beraber asker de vardı. Hiç sesleri duyulmadan kum ve ateş karışımı bir bulutun içinde yok olmuşlar, tonlarca ağırlıktaki çelik araçlar simsiyah hale gelmişti.

Patlamanın etkisi, açtığı kraterin de dışında çok geniş bir mesafeye çıkıyordu, pek çok aracı kullanılmaz hale getirip askerleri öldürerek ilerliyordu ölümcül basınç dalgası. Ve durulduğunda geride, çölde yüzlerce metre genişliğinde siyah bir krater oluşturmuş; hayatta kalan askerleri çıldırtacak sesleri çıkaran bir birlik kalmıştı geriye.

Patlamanın merkezine uzak olmasına rağmen General Smith'in bindiği araç yoldan savrulmuş ve bir zırhlı savaş aracı ile çarpışmıştı. Neredeyse tümenin tüm hareketi durmak zorunda kalmıştı. Kendilerini bir nükleer silahla vurulmuş gibi hissediyorlardı.

Patlamanın ilk seferdeki masif etkisi geçtikten sonra, beklenmeyen ama zaten ruh halleri darbe alan askerler üzerinde daha da büyük etki eden ikinci safhası başladı. Her şey saniyeler içerisinde gerçekleşiyordu. İlk patlamada ateş almayan yüz binlerce mermi ve diğer küçük mühimmat, hemen arkadan daha küçük ama yine şiddetli biçimde ve geniş bir alana yüzlerce mermi yollayan patlamalar halinde askeri birliklerin üzerine yağmaya başlamıştı.

Çöl, gerçek bir can pazarına dönüşmüştü. Tank tümenindeki birlikler geniş bir alanda hareket kabiliyetlerini tamamen yitirmişler ve arkadan gelecek olanların yardımlarına muhtaç hale gelmişlerdi.

General Smith aracından inmişti. Savaş alanı çok tehlikeliydi. Sürekli olarak meydana gelen patlamalar nedeniyle serseri mermiler her yerde uçuşuyordu.

"Sağlıkçılar... Sağlıkçılar!! İleri hatta gitsinler."

General Smith'in emrini uygulamak imkânsız görünüyordu. Tümenin mızrak şeklinde oluşturduğu saldırı formatının en uç kısmının biraz gerisinde meydana gelmişti patlama ve bu mızrağın ucunun tamamen kırılmasına yol açmıştı.

Bunu yapmak zorundaydı Smith, saldırıyı durdurma emri verdi. Tanklar durdu. Bütün birlik durdu. Karşılarındaki bu garip direnci merak etmeye başlamışlardı. Smith kurmaylarını yanına topladı. Ortadan saldırmayı teklif eden subay da ölenler arasında olmalıydı.

"Bu kahrolası tuzaktan nasıl çıkacağız? Anlamıyorum. Nereye gidersek gidelim güvende değiliz şu an. Böylesi bir tuzaklama ile ilk kez karşılaşıyorum. Neredeyse bir mühimmat deposunu yeraltına koymuşlar ve bizi tam oraya doğru çekmeyi başardılar. Bu onlara da pahalıya mal oldu ama şu halimize bakın, tam anlamıyla bir komedi. Bir şeyler yapmalıyız."

"Komutanım, devam edelim. Bu saldırıyı durdurursak asla başaramayız. O patlamanın olduğu yer en azından artık güvenli, üzerinden geçelim."

"Galiba haklısınız. O bölgedeki herkesi yok etmenizi istiyorum. Hiç durmadan önümüze top ateşi açılsın. Ben de ileri saflarda olacağım. Bu operasyonu yürüten komutanı kendim yakalamayı düşünüyorum."

"Bu tehlikeli olabilir."

"Hah, tehlike mi demiştin?"

Toplantı biter bitmez herkesi şok eden bir başka haber geldi. Haberi getiren asker gözlerine inanamıyor gibiydi.

"Komutanım. Bize saldırıya geçildi."

"Nasıl? Bize saldırılıyor. Kim tarafından?"

"Direniş bölgesinden. Tanksavar ve makineli tüfeklerle efendim. Arada sırada havan ateşi de alıyoruz. Çok etkili bir ateş. 60 mm komando havanları. NATO standartlarında."

General Smith'in korktuğu başına geliyordu. Karşısındakiler Türkler olabilir miydi? *Burada ne işleri var,* diye sormaya gerek görmedi. Aslında Stillson hükümetinin Amerika'nın çıkarlarına da ters davrandığını görebiliyordu.

Smith ve çevresini saran birkaç yüz asker zırhlılar eşliğinde ilerlemeye başladı. Gerçekten de, pek çok noktadan ateş açılıyor, o noktalara yapılan karşı ateşlerse siperlerin hemen terk edilmesi nedeniyle pek işe yaramıyordu. Hava desteği olmadan bu direnişi kırmak imkânsızdı.

Ancak ilerleme emri verildi. Kuvvetler patlama bölgesini geçerken yerde yatan arkadaşlarına bakmamaya çalıştı.

Bir süre sonra artık tanklar ve askerler karşılarında direnen insanları görmeye başlamışlardı.

Modern tarih geride kalmıştı sanki. Karşısındaki insanlar öyle iyi kamufle olmuş ve o kadar hareketlilerdi ki, modern savaş teknikleri işe yaramaz hale gelmişti.

Eğer benimle göğüs göğse savaşmak istiyorlarsa bundan kaçmayacağım, diye düşündü.

Bu sırada karşı tarafta...

Bir kum fırtınası oluşmaya başlıyordu. Ne kadar büyüyeceğini kimse tahmin edemezdi. Ancak kimse normalde herkesin saklanacağı bir fırtınayı bile umursayacak durumda değildi. Koşullar onları kendilerini aşmaya sürüklüyordu.

Binbaşı Hakan savaşın artık nihai sona yaklaştığını görebiliyordu. Onları durdurmuşlardı. Büyük bir darbe vurmuş ve şok olmalarını sağlamışlardı. Şimdi karşı karşıya geleceklerdi. Ve sonuç aslında belliydi. Güçler arasında büyük dengesizlik vardı. Ancak amaçlarına ulaşmış gibiydiler. Kutsal şehirlerin korunması sağlanmak üzereydi ve bu kadar yıpranmış bir tümenin toparlanıp yoluna devam etmesi daha çok zaman alacaktı şüphesiz.

Fırtına gittikçe şiddetini artırıyordu. Kulakları artık pek bir şey duymuyordu. Sadece şiddetli homurtular ve kum fırtınasının kulaklarında oluşturduğu fısıltılar.

General Smith etrafında yavaşça ilerlemekte olan tank ve zırhlı araçların birer birer durmaya başladığını fark etti. Dev bir kum bulutu bütün savaş alanını sarmıştı ve askerler birbirlerine çok yakındı. Smith, yanındakilere baktı.

Binbaşı Hakan da bunun rastlantı olmadığını düşünüyordu. Artık aralarında modern silahlar yoktu. Kutsal Topraklarda işlemeyecekti bu aletler. Sadece bedenler ve silahlar vardı ve bir süre sonra o silahlar da ateş edemeyecek hale gelecekti. Kumlar hepsini yutacaktı. Geride sadece keskin kamalar ve savaşçıların bedeni kalıyordu. Geri dönülmez bir yola girmişlerdi. Başlarına ne geleceğini bilmiyorlardı.

Derken kilometrelerce karelik çöl alanında bütün araçlar sustu. Elli metreye ulaşan dev bir kum bulutu her yeri dağıtıyordu. Askerler, siviller, herkes yüzlerini kapattı. Çok şiddetli bir rüzgâr değildi, ama bütün çalışan aksamı durdurmaya yetecek kadar güçlüydü.

Sessizlik rahatlattı. Patlamalar ve ağır silahlar yoktu artık. Araçlarından inen Amerikan askerleri silahlarının uçlarını kapatmışlardı. Onları ateşleme şansları yoktu. Kum fırtınası içinde yürümek zordu, neredeyse dizlerinin üzerinde hareket ediyorlardı. Silahlarının ucuna süngülerini takmışlardı. Bunu neden yaptıklarını bilmiyorlardı.

Binbaşı Hakan da askerlerine süngü tak emri verdi. Karanlık çökmeye başlamıştı. İki taraf da sanki bir mezarın içine kapanmış gibi hissediyordu kendisini. Nefes bile almak imkânsız gibiydi.

Askerlerden birisi, Binbaşı Hakan'ın yanına geldi.

"Komutanım, Hasan Paşa geliyor askerleriyle."

Binbaşı Hakan'ın gözleri doldu birden. Koşarak geri hatta geçti. Görüş çok zordu ama binlerce gururlu gölgenin karanlıklar içerisinde hareket ettiğini görebiliyordu. Sanki zamanın başka bir boyutuna geçer gibi, ucu görünmeyen bir tünele giriyorlardı. Binbaşı onları yolda karşılamak üzere koştu. Soğuk ve kum bedenine işliyordu ama çölle bütünleşmişti. Tuğgeneral Hasan Kara, tüfeğinin ucuna süngüyü takmıştı. Binbaşı ile karşılaşınca kucaklaştılar. Hasan Paşa'nın yüzünün gülüyor olduğunu görmek Binbaşı Hakan'ı rahatlattı.

"Komutanım..."

"Sus Hakan, seni burada bırakamazdım. Kalkıp gelmem gerektiğini hissettim, senden sonra telefonu kapatır kapatmaz yola çıktık."

"Komutanım, kendimi çok garip hissediyorum."

"Ben de Hakan. Karşımızda aynı silahlara sahip bizden üç kat kalabalık bir düşman var."

"Birazdan karşı karşıya geleceğiz komutanım. Sadece süngülerimiz ve bedenlerimiz."

"Yüzyıllar öncesindeki gibi."

"Evet komutanım."

"Artık konuşma. Vazifelerini yerine getir ve helalleşelim. Nedense içim çok rahat."

"Benim de komutanım."

"Buradaki şehitlerin ruhu bizi yalnız bırakmaz."

"Sanki... Sanki burada gibiler."

General Smith her dakika daha çok değiştiğini hissediyordu. Elinde tüfeği ve süngüsü ile kalacağını hiçbir zaman düşünmemişti. Her zaman modern silahlar ve hava desteği ile, uzaktan kumandalı araçların korumasında savaşacağını düşünerek yaşamıştı.

Bu çok farklıydı. Amerikan askerleri gitgide bilinçsizce birbirlerine yaklaşıyorlar ve birbirlerinin bedeninden, sıcaklığından kuvvet almaya uğraşıyorlardı.

Çok uzaklardan savaş alanını seyreden bedeviler hiçbir şey göremiyorlardı. Sadece büyük, karanlık bir bulut çökmüştü ve bulutların garip şekiller alışını izleyip duruyorlardı. Önlerindeki görüntüye bakışları, binlerce yıl önce yaşayıp da doğanın gerçeküstü görüntüleri karşısında saygıyla duran insanlarınki gibiydi.

General Smith'in telsizi cızırdamaya başlamıştı. Ses çok kötü geliyordu. Ona ulaşmaya çalışan kişi Howard Strike'dı. Birliğin durumunu uzaydan görmüşlerdi ve hepsi çok endişeliydi. Strike, artık Smith'e bazı şeyleri söyleme zamanının geldiğini düşünüyordu. Artık görüntü alamıyorlardı. Tamamen bulutun gizemi içinde kaybolup gitmişlerdi.

"Smith... Smith, beni duyuyor musun?"

"Ses kötü geliyor."

General Smith'in sesi de kötü geliyordu. Strike bunu anlamıştı. Durumlarının iyi olmadığını anlamıştı. Bir kum fırtınasının içinde kalmış modern bir birliğin durumu iyi olmazdı.

"Ne yapıyorsunuz orada? Görülemiyorsunuz. Ne uçaklardan ne uydulardan. Sadece radarlar iki insan kütlesinin birbirine yaklaştığını gösteriyor."

"Her şey durdu Strike. Artık hiçbir silah yok. Sadece biz ve süngüler var."

"Ulu Tanrım..."

"Sanırım ona ihtiyacımız var. Askerlik hayatım boyunca Tanrı'ya ihtiyacım olacağını düşünmemiştim."

"Smith. Bu savaşı durdurmamız gerekiyor. Şu anda hükümet halkı temsil etmeyen bir güç tarafından ele geçirildi. Demokrasi tehlikede. O topraklarda olmamanız gerekiyor."

General Smith bu duyduklarının doğru olmadığını düşünmeye başlamıştı. Her şey alışıldık gerçekleri aşmış, kırmış ve onun üzerine çıkıp başka bir gerçeklik boyutuna ulaşmıştı.

Strike'ın bağırışları bile onu kendisine getirmeye yetmedi. İki ordu birbirine yaklaşıyordu ve atılan her adım, Amerikan askerlerinin içindeki duyguların yoğunlaşmasına neden oluyordu.

Böyle bir savaş için hazır değillerdi. Ne yapacaklarını bilemiyorlardı. Karşılarında kimin olduğunu ve onlarla ne koşulda savaşacaklarını bilmiyorlardı.

Binbaşı Hakan, Hasan Paşa'nın yanından ayrılmıyordu ve savaş sonuna kadar da ayrılmayacaktı. Suudi Halid de ilk anlarından beri Binbaşı Hakan'a rehberlik etmişti. Halid'in yüzünde de ilk andan beri görülmemiş bir ifade vardı. Hakan Halid'e, *dikkatli ol,* der gibi bir baktı. Halid, bundan hiç etkilenmiş gibi durmuyordu. Hiç de dikkatli olmaya çalışacakmış izlenimi vermiyordu doğrusu.

Artık iki birliğin arasında metreler kalmıştı. Her iki taraftan da mırıldanmalar duyuluyordu. Kendi inançları ile dua ettiklerine şüphe yoktu.

Smith, neden burada olduklarını sorgulamaya başlamıştı. Ama bilinci kapalı gibiydi. Şok durumundaydı, hiçbir şey düşünemiyor ve kendisine doğru yaklaşmakta olan kalabalığı görüyordu sadece. Nedense onlara karşı kötü hisler besleyemediğini düşündü. Onları öldürecekti belki de birazdan, ama kesinlikle içinde kötü bir duygu yoktu. Buna anlam veremedi. Eğer modern silahları çalışıyor olsaydı onları acımadan yok eden asker duyguları ile hareket ederdi. Ama şimdi her şey gerçekti. Keskin uçlu kamalar, bedenler ve akacak kan…

Aralarındaki mesafe metrelere indiğinde garip bir içgüdü ile koşmaya başladılar. Bu aslında yüzyıllarca yapılan savaşların genlere ektiği bir güdüydü.

Her iki taraf da birbirine saldırırken tüfeklerin ucuna takılı olan süngüleri havaya kaldırdı. İlk çarpışan saflardan, kulakları tırmalayan sesler çıkmaya başladı. Süngülerin saplandığı bedenlerin yırtılma sesi ile irkildi geri saflardakiler.

Amerikalı askerler inanamadıkları bir savaşın içinde kalabalık olmanın verdiği güven duygusu ile yükleniyorlardı karşıdaki askerlere.

İlk anlar gerilemişti direnenler. Binlerce Amerikalı asker bağırarak ve dua ederek saldırmıştı. Yirmili yaşlarındaki genç beyazlar ve İspanyollar. Siyahlar ve melezler.

Sonra gerileyenlerin yüklenmeye başladığını hissettiler. Burada olanları analiz edecek bilgisayarları yoktu. Onları dehşete düşüren bir kavgaya dönüşmüştü savaş alanında olanlar.

Artık biliyorlardı. Arapların yanında Türkler de vardı. Birden bütün alan boyunca bu bilgi bağırışlar halinde yayıldı.

Amerikalı askerlerin bedenleri titredi. Türklerle savaş alanında ve sayı üstünlüğü dışında eşit şartlarla karşılaşmışlardı.

Bu Tanrı'nın bize verdiği bir ceza olmalı, diye düşündüler.

General Smith, bu bilginin doğrulanması ile düşünmeye başladı; ne yaptığını ve bunun nereye kadar gidebileceğini. Görüyordu. İleri saflarda Türk askerlerinin insanüstü savaşçılara dönüştüğünü görebiliyordu.

Amerikalı askerler arasında dengesizlik baş göstermişti. Yakınmalar ve gerilemeler görülüyordu.

Smith, gidişatı anlamıştı. Tarih sayfaları canlanıyordu sanki. Türk askerleri, eskisi gibiydi. Benliklerini aşmışlardı, hepsi kendisini şehit kabul ettiği için ölmüş gibi savaşıyor, ölmekten korkmuyorlardı.

Amerikalılar kalabalık olmanın avantajından başka bir avantaja sahip değil gibi duruyordu.

Bir noktada on kadar Amerikalı asker, tek bir Türk askerini tutmuştu. Bir başka yerde bir Arap sivilin üzerine onlarcası kapanmıştı ama savaşın resmi gittikçe değişmeye başlamıştı.

General Smith, kendi süngüsü ile işe karışmak zorunda olduğunu düşünüyordu. Yoksa askerler bir süre sonra koşarak kaçabilirdi. Türkler ölüyordu, ama yenilmiyorlardı. Bu denklemi bir türlü çözemiyordu Smith.

Koşarak askerleri yardı ve etrafta çok sayıda direnen askerin olduğu bir alana geldi. Karşısına çıkan yağız bir Türk askeri ile dövüşmeye başladı. Yaşına rağmen çok atak hareket edebiliyordu.

Ama Türk askerinin gittikçe sinirlendiğini ve onunla baş edemeyeceğini düşündü. Bu sırada ayağı takıldı ve çöl yüzeyine kapaklandı. Türk askeri üzerine saldırırken, askerin yüzü acıyla sarsıldı ve yere düştü. General Smith, emir subayının kanlı yüzünü gördü. Kötü yaralanmıştı, ama son anda onun hayatını kurtarmıştı.

Ayağa kalkmak gelmiyordu içinden. Ölümden döndüğünü hissetmişti. Yerde yatan Türk askerine baktı. İçi bir garip oldu. Ona bu kadar yakın olmak ve hiç tanımadığı birinin ölümüne sebep olmak... Smith duygularını kontrol etmesi gerektiğini düşünüyor ama bunu yapamıyordu. Duyguları olmayan insan olamazdı ki. Modern teknikler duyguları olmayan insanlar çizmişti, ama bu akşam hepsi susmuştu ve insan ortaya çıkmıştı, hem de insanlığın kanlı ve garip meydan savaşlarından birisinde.

Binbaşı Hakan ve Hasan Paşa, yanlarında Halid'le beraber iyi bir üçlü oluşturmuştu. Etraflarından Türk askeri eksik olmuyordu, ama onlar da en az etraflarındaki askerler kadar savaşıyorlardı. Koruma ordusuna güvenme konforu yoktu artık. Her an her yerden birileri gelebilirdi.

"Hakan, nasıl gidiyor, hâlâ askerlerimiz var etrafta. Sanırım bizimkileri yenemiyorlar."

"Komutanım baksanıza şu aslanlara, biri üç kişi ile uğraşıyor."

Bu sırada bir vınlama duyuldu. Hakan başını son anda kurtarmıştı. Amerikalı genç bir asker, çok yakınlarında belirmiş ve heyecanla elindeki tüfeği mızrak gibi Hakan'ın kafasına doğru fırlatmıştı. Şimdi silahsız ve gözleri korkuyla açılmış bir halde Türk askerlerinin arasında kalmıştı.

Binbaşı Hakan, koşarak Amerikalı gencin yanına geldi ve

göğsüne bir tekme vurarak sırt üstü yere yıktı. Boğazına bastı ayağını ve süngü takılı tüfeğini kaldırdı.

"Dur!" diye bağırdı Hasan Paşa.

"Ama komutanım, esir alacak durumda değiliz. Onu bırakamam, gidip bir askerimi öldürebilir."

"Yarala yeter."

General Smith, umudunu yitirmeye başlamıştı. Askerlerinin artık istekli savaşmadığını ve geri saflarda pek çok askerin hareketsiz durduğunu görebiliyordu.

Garip bir şey olmuştu. Savaş alanındaki enerji gitgide düşüyordu. İki taraftaki askerler de birbirlerine ilk anda olduğu gibi istekli saldırmıyordu.

Bir süre sonra savaş neredeyse durma noktasına gelmiş, hatta tamamen durmuştu. Alanın hiçbir yerinde dövüşen asker yoktu. Birbirlerinden bir miktar uzaklaşmışlardı ve aralarındaki alanda yüzlerce yaralı ve ölü vardı.

Kum fırtınası gücünü yitirmeye başladı, bir süre sonra da hafif bir rüzgâra dönüştü. Savaş alanındaki görüntü gerçekten dehşet verici ve dramatikti.

Bütün askerler aynı renge bürünmüştü. Kum ve kan rengine. Sadece gözlerindeki beyaz renk bedenlerinin geri kalanında ayırt edilebiliyordu.

Bir süre sessizce beklediler. Komutanlar yavaş yavaş öne doğru gelmeye başladı. General Smith ve Hasan Paşa, şimdi karşı karşıyaydılar.

Amerikalı askerler yavaş yavaş öne doğru gelerek birbirlerine yaklaştılar. Aynı hareketi Türk askerleri ve Arap siviller de yapmıştı.

Hasan Paşa, önce ne yapacağını bilemedi ve bekledi. Bir an için psikolojik bir eşikte olduğunun farkına vardı.

General Smith de durdu önce, ama sonra yürümeye başladı. Türk askerleri Hasan Paşa'ya yaklaşırken o eliyle uzaklaştırdı onları. General Smith ve Hasan Paşa, karşı karşıyaydılar.

"Neden bilmiyorum ama burada Türkleri gördüğüme sevindim."

"Belki de... Yenilirseniz hayatınızın bağışlanacağı duygusundandır."

Güldü General Smith. Aklında sürekli olarak Howard Strike'ın söylediği sözler vardı.

Bu savaşı durdurmalıyız, bu savaş Amerika'ya hizmet etmiyor. Sadece Sir Eli denen bir çılgına hizmet ediyor.

"Sanırım askeriyede okuduğumuz savaş tarihi derslerindeki görüntülerden birisini yaşadık, değil mi?"

"Evet, hatta en dramatiklerden biriydi."

"Zaten oldum olası o geri zekalı robotik silahlardan nefret etmişimdir."

"Bu konuda bir şey söyleyemem. Bizde onlardan pek yok."

Smith, kendisini tutamadı ve yine güldü ama utandı kendisinden. Yerde yatan ölüler için saygılı olması gerektiğini düşünüyordu. Ve orada yatanların boşa yatmadığını hissedebiliyordu.

Howard Strike'ın sesi telsizden duyulmaya başlamıştı yine. Bir şekilde savaşın gidişatında değişiklik olduğunu öğrenmiş olmalıydı.

"Bay Strike. Şu an itibariyle çatışma sona ermiş görünüyor. Size söylemem gereken pek çok şey var. Bana söylediğiniz sorunu bir an önce ortadan kaldırın, yoksa ben oraya geleceğim."

Hasan Paşa güldü, Binbaşı Hakan'a baktı. Bir an önce şehitleri gömmeli ve yaralılara bakım yapmalıydılar. Hem yardıma ihtiyacı olan pek çok Amerikalı asker de vardı.

Houston'a doğru

Mert ve Tracy, restorandan hızla çıktılar. Arabalarını arka sokakta bırakmışlardı. Güzel bir gündü ve ortalık çok aydınlıktı. Bir Gri Takım üyesi olarak Mert bu tür havaları sevmezdi. Puslu ve yağmurlu bir havada görevde olmayı her zaman tercih etmişti.

Araçlarına binerken Tracy her zaman olduğundan daha da sakindi. Giderek bu garip adama ve onun yapmaya çalıştığı şeye alışmıştı. Hem artık o işi yapmasına gerek yoktu. Mert nereye kadar giderse onun yanında olmaya karar vermişti.

Otomobile bindiler. Mert tam gaza basacaktı ki az önce geldikleri sokağın dönemecinde kısa saçlı bir kadının kendilerine baktığını gördüler. Mert'in kalp atışları hızlandı ve göz bebekleri küçüldü. Kadının her an belinden bir silah çıkarıp kendisine ateş etmesini bekliyordu.

Ama bekledikleri gibi olmadı. Kadın gülümseyerek yavaş adımlarla onlara yaklaştı. Mert ve Tracy birbirlerine baktılar. Mert, eli silahında, camı açtı. Kadın otomobilin yanına gelip açılan camdan başını uzatarak, "Merhaba Mert. Ben de seni bekliyordum" dedi.

Mert neye uğradığını şaşırmıştı. Konuşamıyordu. Bu nasıl bir şey diye düşündü ve aklına onlarca kötü senaryo geldi.

"Şaşırman çok doğal. Kurt bana senin küçük dilini yutabileceğini söyledi. Umarım böyle bir durum yoktur."

"Ama nasıl..." Mert hiçbir şey demeden karşısındaki kadının ela gözlerinin içine bakıyordu.

Tracy aradıkları ajanın aslında kadın olduğunu ve Mert'in bunu bilmediğini, bu nedenle çok şaşırmış olduğunu anlamıştı. Bir an için Gri Takım üyesi kadın ajanla göz göze geldi ve kalbinin derinliklerine kadar titrediğini hissetti. Şimdiye kadar hiçbir insandan bu kadar derin bir tehdit algılamamıştı. Onun ne kadar tehlikeli olduğunu, gülerken bile alev saçan gözleri çok iyi anlatıyordu.

"Sen.. Ama bu nasıl olur? Biz hepimiz..."

"Bak Mert, benim adım Deniz. Siz bilmiyordunuz ama aslında kadınlardan oluşan bir başka kamp daha vardı. Ve bu sizden saklandı. Aslına bakılırsa gizlilik devam edecekti ama bu operasyon çok önemli hale geldiği için bunu bozmaya karar verdiler. Bunu neden yaptıklarını bilmiyorum, ama sanırım sizin kendinize olan güveninizi sarsmamak için olabilir. Hangi erkek bir kadının yaptığı işi yapıp ondan sonra da kendisi ile gurur duyar değil mi?"

Bu sözler Mert'e dokundu, bozulmuştu genç ajan. Kurt'un onlara bunu Deniz'in söylediği nedenden dolayı haber vermemiş olabileceğine inanmıyordu.

"Peki, peki. Şimdi ne yapıyoruz?"

"Sizinle geliyorum."

"İşin ne olacak?"

"Dükkândan çıkarken işi bıraktığımı söylemiştim."

Mert, Tracy'ye baktı. Onun rahatsız olduğunu hissetmişti. *Umarım bir kıskançlık durumu yoktur*, diye geçirdi içinden. Bu ihtiyacı olabilecek olan en son şeydi. Böyle bir durumda bütün operasyonu sıkıntıya sokabilecek olayların yaşanacağına emindi. Şimdilik bu olayı kaşımamaya ve her iki kadına da eşit durmaya karar verdi. Deniz'i tanımıyordu. Gri Takım gibi üst düzey ve zorlu bir görev grubuna bir kadın ajanın dahil edilebileceğine ihtimal veremiyordu.

Deniz, arabanın arkasına atladı. Mert hiç durmadan gazladı. Yolda konuşacaklarını düşünüyordu. Deniz uzun süre konuşmadan arabadan dışarıya baktı. Bazen gözü Tracy'ye kayıyordu. Onun kim olduğunu merak ediyordu. Hiç hoşlanmamıştı bu hafif görünüşlü kadından. Bir Gri Takım ajanının nasıl olup da güvenliği bu kadar göz ardı eder bir şekilde davrandığını anlayamıyordu.

"Kurt, her zaman için bizim erkek ajanlardan daha iyi olacağımızı ve olduğumuzu söylerdi. Kadınların bazı özelliklerinin yoğun stres ortamlarında daha iyi sonuçlar verdiğini keşfetmişlerdi ve bu nedenle herkesten gizledikleri, hatta kendi aralarındaki üst makamlardan bile gizledikleri bu kampı oluşturdular."

"Deniz, bunları anlatmak zorunda değilsin. Tamam, ilk başta seni görünce şaşırdım ama şimdi bu fikre alışıyorum. Hatta neden biz bilmiyorduk ve neden karma bir kamp olmadı diye de merak ediyorum doğrusu!"

"Mert, çok komiksin. Emin ol, kamptaki kızları görsen şimdi düşündüklerini düşünmezdin."

"Şimdi ne düşündüğümü ne biliyorsun?"

"Ben ajan olduğum kadar bir kadınım ve bana bakışlarından aklından geçenleri okumak hiç de zor değil."

"Deniz, inan, şu anda bahsettiğin şeyleri düşünecek durumda değilim. Tek düşündüğüm, seninle nasıl bir belanın içine düşeceğim."

"Sence bela, içine gireceğimiz durum mu; yoksa zaten şu anki durumu bir bela olarak mı değerlendiriyorsun?"

Mert sert bir bakış fırlattı Deniz'e. Arabaya bindiği andan beri onun sürekli kendisine baskı yaptığını hissetmişti. Bunu neden yaptığını anlayamıyordu. Şu an çok hassas bir görevdeydiler ve bir takım gibi davranmaları gerekiyordu. Sorunun Tracy'den kaynaklanabileceğini düşündü. Bunu ona açıkça söylemeliydi.

"Eğer sorunun bu kızsa, bana çok önemli bir yardımı dokundu ve benim yanımda. Onun başka zamanlarda da benim yanımda olmasını istiyorum, çünkü gerçekten bir Amerikalının gerekebileceği durumlarla karşılaşabiliriz. Yabancıların dikkat çekebileceği noktaları rahatlıkla aşacaktır."

"Hey, onu kıskandığımı mı düşünüyorsun? Hiç de böyle bir şey yok tamam mı? Aranızdaki ilişki beni ilgilendirmez ama Türkiye için bu kadar hayati bir konuda bu riski almanı anlayamadım doğrusu."

"Bak Deniz. Sen de biliyorsun, senelerdir bu ülkede yaşıyoruz ve nerelerde ne nasıl sonuç verir biliyor olmalıyız. Tanıştığımızdan beri sürdürdüğün olumsuz yaklaşımını anlayabilmiş değilim."

"Seninle bir sorunum yok Mert. Bu operasyona uygun olup olmadığını anlamaya çalışıyorum."

"Bu sana mı kaldı?"

"Evet, Gri Takım eski Gri Takım değil. Pek çok ajan yakalandı. Birkaç kişi kaldık neredeyse ve artık kime güveneceğimi bilmiyorum. O kadar ajanın yakalanmasının mantıklı bir açıklaması yok."

"Deniz, manyak mısın sen, Gri Takım içerisinde bir köstebek olabileceğini mi ima ediyorsun?"

"Evet, Mert. Bu nedenle çok dikkatli olmalıyım." Deniz bunları söylerken gözleri doldu ama kendisini kontrol edip bu duygusunu bastırdı. Uzun süredir bu ülkede tek başına yaşamış ve stres altında kalmıştı. Bu nedenle de duygusal olarak hayli yıpranmış olduğu görülebiliyordu.

"Deniz, iyi olduğundan emin misin? Uzun süredir Kurt'la yüz yüze görüşmüyordun, belki onunla bazı şeyleri konuşmalısın."

"Hayır... Hayır, olmaz. Buna gerek yok."

"Peki bırakalım istersen bu konuları da bana görevi anlat."

"Abdullah Gül ve bürokratlar..."

"Devam et."

"Amerika'ya gelmişlerdi biliyorsun. Daha sonra Washington'dan götürülürken yolda birileri tarafından kaçırıldılar ve kimse onları kimin kaçırdığını bilmiyor."

"Biz biliyor muyuz peki?"

"Aslına bakılırsa bazı ipuçları var. Onları kaçıranların, hükümeti garip bir çabukluk ve marifetle ele geçiren Stillson'u destekleyenler olabileceğini düşünüyor Kurt."

"Allah'ım, bu adam ne kadar da çok şey biliyor. Bazen ondan şüpheleniyorum biliyor musun?"

"Ne, Kurt'tan mı şüpheleniyorsun? Bunu sakın aklına getirme. Ben kime güveneceğimi bilemez haldeyken bana güven aşılayabilen tek insan odur."

"Şaka yapıyordum sadece, alınma. Kurt, bir tanedir."

"Peki senin bir planın var mı Mert?"

"Var sanırım. Bir an önce New York'a gitmeliyiz."

"Neden?"

"Çünkü hükümet New York'ta ve eğer bizimkilerin izini bulacaksak, bunu ancak hükümet bağlantılı insanlarla yapabiliriz."

"Doğru. Bu çok zor bir iş ama başka yol da yok sanırım. Peki ne yapacağız? Hükümete yakın kaynakların konuşmasını nasıl sağlayacağız? Hiçbiri gerçek politikacı bile değil."

Mert yavaşça başını döndürerek Tracy'ye baktı. Kadın sanki orada değil gibiydi. Ama birden iki kişinin kendisine doğru bakmakta olduğunu fark edip, onlara döndü. Evet, artık kendisinin yeni bir görevi vardı. Bunu bakışlardan anlayabiliyordu.

"Onun bu konuda iyi olduğunu düşünüyorsun sanırım Mert."

"Evet, bu konuda çok iyi. Aslına bakılırsa bayağı bilgi sahibi de diyebiliriz. Sadece ona hedefi göstermemiz yeterli bence."

"Bak işte, bunu yapmakta bir sorun olacağını sanmıyorum."

"Bundan eminim. Elinde şu anki hükümetle ilgili bütün bilgilerin detaylı bir şekilde olmadığını söyleme bana."

"Var Mert, hepsi var. Doğum tarihlerinden, doğdukları evin adresine ve sonrasında yedikleri her haltın ayrıntılarına kadar her şey."

"Harika! O zaman onları konuşturmak için çok güzel diyaloglar hazırlayabiliriz."

"Kesinlikle."

"Bunları Kurt mu verdi sana?"

Deniz bir an düşündü.

"Evet, Kurt verdi." Gülerek Mert'e baktı. Şimdi daha da rahatlamış görünüyordu.

"İyi, öyleyse ona özellikle teşekkür etmem gerekecek."

"İstersen bunu görevi tamamladıktan sonra yapalım. Biliyorsun gereksiz yere aranmaktan hoşlanmayan birisi."

"Tamam, anlaştık."

New York sokaklarında insanlar sanki hiçbir şey olmamış gibi davranıyorlardı. Hayat devam ediyordu, savaşın bu topraklara yansımış olmasından rahatsız oluyorlardı ama geçmişti her şey.

Mert, Deniz ve Tracy, beraber kaldıkları otel odasında hükümet üyeleri ile ilgili bilgileri inceliyor ve konuşma ihtimali en yüksek olacak kişiyi belirlemeye uğraşıyorlardı. Kesin karar verememişlerdi. Aslında hepsi de aradıkları kişi olabilirdi. Çok fazla fark yokmuş gibi geliyordu.

Deniz sinirlenmişti. Resimleri yatağa çarpıp kendisini sırt üstü yatağın üzerine bıraktı.

"Kahretsin, böylesine aptalca bir konuda Mert, böyle bir konuda takılıp kalıyoruz. Sanırım imkânsız bir görevimiz var."

"Saçmalama Deniz. Elbette birisini seçeceğiz. Ben bir çay hazırlayayım. Kafam çalışmaz çay içmeden. Sen de ister misin?"

"Evet, lütfen. O içmiyor mu?"

Tracy bu arada resimlere bakıyordu.

"Hayır, kahveden başka hiçbir şey içmez. Bu alışkanlığından vazgeçirmeye çalışıyorum onu ama başaramadım henüz."

Tracy tamamen resimlere dalmıştı. Resimlerdeki erkeklerin yüzlerine uzun uzun bakıyor ve kendi kendine bir şeyler mırıldanıyordu. En sonunda içlerinden bir tanesini seçti. Uzun yüzlü, gülümseye çalışarak poz vermiş ve yarı kel, tombul yüzlü birisini seçti.

"İşte, ağzından laf alacağım adam bu."

Bu sözleri neredeyse bağırarak çıkarmıştı ağzından. Yatağın üzerinde bağdaş kurmuş otururken zıplayarak sevinç gösterisinde bulundu Tracy, sonra hüzünlendi. O adamın ağzından laf almak için katlanacağı şeyleri düşündü ve kendisine olan kızgınlığı depreşti. Mert bunu anladı ve yanına gidip onun elinden tuttu.

"Sen çok büyük bir amaca hizmet ediyorsun Tracy. Emin ol, bu görev sonrasında sonsuza kadar rahat etmeni sağlayacak bir kaynağın sana aktarılması için elimden geleni yapacağım."

"Bunları söylemene gerek yok. Şimdiye kadar ne yaptıysam kendim için yaptım. Bunun doğru olduğunu düşünüyorum Mert."

Deniz, Tracy'nin bu kendini adamış hallerini şüpheyle izlemeye devam ediyordu. *Bu kadında bir şeyler var,* diye düşündü. Her şeyiyle çok iyiydi, şüphe edilemeyecek birisi gibi görünüyordu ve işte tam bu noktada Deniz'in sezgileri çalışmaya başlıyordu. Her şeyin mükemmel olduğu anda o şüphelenmeye başlardı ve ruhunu yıpratan şey de buydu zaten.

"Neden onu seçtin?" Deniz sert bir ses tonuyla sordu.

Tracy, yaşlanmaya başlayan gözlerini silerek gerildi ve sanki Deniz ile kendini eşit tutmaya çalışarak cevap verdi. Kadınlık gururunun ona bu davranışı yaptırdığını anlamıştı Mert.

"O kadar çok erkek tanıdım ki, ve onların ne zaman nasıl davrandıklarını o kadar iyi bilirim ki... Görünüşlerinin onların düşüncelerini ve kişiliklerini ne kadar derinden etkilediğini de. Ve tabii, bu görünüşleri ile ilgili olarak onlara ne söylersem nasıl sonuçlar alacağımı ve bir şey söyletmek için onların içeride gizledikleri ezik ve korkak kalbi nasıl ele geçireceğimi."

Bunları söylerken Deniz'in gözlerinin tam içine bakıyordu. Deniz, uzun yıllar boyunca yaşanmış derin acıların ve deneyimin parıltısını, kararlılığını ve kendine güvenini gördü.

Tracy, hangi politikacının nasıl bir iç dünyası olduğunu artık resimlerine bakarak bile söyleyebiliyordu. Uzun yıllar boyunca pis bir işin acısını çekmişti ve şimdi bu deneyimi, kendine kazandıranlara karşı acımasızca kullanacaktı.

Bunu nasıl yapacağı konusunda bir süre konuştular. Fazla zamanın olmadığı konusunda hemfikirdiler.

Tracy, sanki bir şef gibi davranıyordu, çünkü artık kendi uzmanlık alanına girmişti olaylar. Her şeyi planladı. Yavaş yavaş işin havasına kendisini kaptırıyordu ve bu durum Mert'in hoşuna gidiyordu. Deniz için aynı şey söylenemezdi. Bunun sebebi hâlâ Tracy'den şüpheleniyor olması mıydı, yoksa başka bir şey miydi, bunu zaman gösterecekti. Ama her ne kadar Tracy'ye yardım ediyor görünse de onun kesin başarılı olabileceğini düşündüğü anlarda çileden çıkıyordu.

Seçilen kişi, İç Güvenlik Bakanı Michael Hermann'dı. Alman asıllı iyi bir ailenin Amerika'daki uzantılarındandı. Ailesinin kökeni, yüzlerce yıl önceki Bavyera İlluminati spekülasyonlarına kadar gidiyordu. Ama bu geçmişi ile ilgili hiçbir iz bulunamıyordu. Görünüşte çok akıllı olmayan ve kolay etki altında kalan biriydi. Dosyasında aynen böyle yazıyordu ve Tracy'nin tam da doğru insanı seçmiş olması hepsini şaşırtmıştı. Bazen deneyim, uzun bir süre alan istihbarat çalışmalarının yarattığı artı değeri anlık olarak yaratabiliyordu demek ki.

Bundan sonra Deniz, her ikisine de Hermann'ın nerelere gittiği, akşamları kimlerle beraber olduğu, ne tür kadınlardan hoşlandığı ile ilgili çok detaylı bir brifing verdi. Tracy her duyduğu detayla daha da çok şaşırıyordu. O kadar çok tanımıştı ki adamı gerçekten de tek yapması gereken, doğru yerde durup doğru şeyleri söylemekti ve büyük ihtimalle gerisi de kolayca gelecekti.

Ertesi Gece...

Tracy, Michael Hermann'la tanıştıktan kısa bir süre sonra adamın inanılmaz bir alkolik olduğunu fark etti, oysa dosyasında bu yazmıyordu. Alkolikler asla iyi birer bilgi kaynağı olamazdı. Bu kadar ayrıntılı tanıtılan bir insanın en önemli özelliğinin atlanmış olması derin şüpheler uyandırdı Tracy'de. Nasıl bir dünyaya adım atmaya başladığını hissedebiliyordu; paranoyalar ve tehditlerle dolu bir dünyanın tam kenarında, hatta biraz da içindeydi. Eğer hayatını kurtarabilirse bir daha asla bu tür işlere bulaşmayacağına dair söz verdi kendine.

Gece ilerliyor ve işler bekledikleri gibi gidiyordu. Hermann, gerçekten de açılmaya ve konuşmaya başlamıştı. Önceki hükümetin elinden yönetimi nasıl da yasadışı yollar kullanarak aldıklarını; Hermann'ın tabii ki, bu işteki "olmazsa olmaz" katkılarını ve yönetimden uzaklaştırılan politikacılar hakkında ağza alınmayacak sözlerini dinlemek zorunda kalmıştı Tracy, ama biliyordu ki bunlar yeterli değildi.

Bilgilerin rengi Hermann'ın teklifi üzerine onun evine doğru giderken değişti. Arabada çok daha garip şeyler söylemeye başlamıştı adam. Sir Eli diye birisinden bahsediyordu. Bu, aslında çözmek zorunda oldukları kişiydi. Stillson'a kabine toplantısı sırasında nasıl davrandığını anlatıp gülüyordu Hermann. Histeri krizine girmiş gibi gülüyordu ve Tracy ile olan yakınlığı, bu gülme krizleri sırasında daha da artırıyordu. Tracy kendisini avukat olarak tanıtmıştı, hem de zengin bir avukat. Daha ne isterdi ki Hermann, güzel ve zengin bir avukatla beraber olmak muhteşem bir şeydi ve onun zekasından faydalanabilirdi.

Eve geldiklerinde Hermann'ın kendine ve Tracy'ye olan güveni epeyce artmıştı, alkolizmin de etkisiyle Tracy'yi neredeyse bir ortağı gibi görmeye başlamıştı.

Sir Eli'nin ne kadar büyük bir deli olduğundan bahsediyordu, daha doğrusu sarhoş halde sayıklıyordu. Bütün Ortadoğu'nun ve kutsal toprakların tek hakimi olma hayalinden bahsetmeye başladığında Tracy, her şeye çok yakın olduğunu anladı.

Ama ters giden bir şeyler vardı Hermann'a göre. Sanki Ortadoğu'da bazı güçler, devrilen Amerikan hükümeti ile işbirliği yapıyor ve Sir Eli'nin dünyayı mahvetmesini engellemeye çalışıyordu.

Tracy, yavaş yavaş konuyu Türkiye'ye getirdi. Bunu nasıl yaptığını bilmiyordu. *Sanırım artık ben de profesyonel bir ajan olmaya doğru ilerliyorum,* diye düşündü.

Konu Türkiye'ye gelince, Hermann gülmeye başladı.

"O konuda harika şeyler oluyor. Sir Eli denen büyük patron, Türkiye'yi yönetmek için dahice bir plan kurmuş. Türklerin Dışişleri Bakanını kaçırdı. Onu Teksas'taki bilimsel araştırmalar merkezinde tutuyor ve beynini yıkmaya çalışıyormuş. Buna inanabiliyor musun, Bakanı beynini yıkayıp daha sonra da serbest bırakacak ve o sayede Türkiye'yi yönetmeye kalkışacak. Tanrım, bu delilerle işim ne? Ben neler yapıyorum bilmiyorum!"

Tracy aldığı bilginin mutluluğu ile öyle gülüyordu ki Hermann aslında Tracy'nin anlattığı hiçbir şeyi anlamadığını ve tek düşüncesinin yatağa gitmek olduğunu sanmaya başlamıştı.

Hermann, mutlu sonuna doğru yaklaşırken artık hiçbir şeyi düşünmeden konuşuyordu. Alkolün etkisiyle o kadar uyuşmuştu ki, büyük ihtimalle ertesi gün bu anlattıklarının hiçbirini hatırlamayacaktı.

"Sir Eli, bu hafta sonu Teksas'taki merkezine gidip Dışişleri Bakanı ile tanışacak ve onu etkilemeye çalışacak. Ama bana söylenenlere göre keçi gibi inatçıymış, çok üzerine gelinirse fena öfkeleniyormuş."

Tracy duyduklarına inanamıyordu. Her şeyin bu kadar da basit çözüleceğine inanamıyordu. Kolayca öğreniyordu gerekenleri.

"Haa, bak canım, bir de Sir Eli'nin Türk sevgilisi var ki sorma. Kız sıradan bir kız ama her nasılsa Sir Eli'nin aşkını kazanmış. Kısa saçlı, atletik yapılı bir afet. Muhteşem bir yaratık. Sanırım o kızın da Türkiye'de garip bağlantıları varmış ve Sir Eli'ye bu konularda inanılmaz bilgiler verdiği söyleniyor. Tanrım, ne büyük şans. Böyle bağlantılarımın olmasını ne kadar da isterdim."

Hermann'ın son söylediği sözler Tracy'yi beyninden vurmuştu. Kulakları uğuldamaya başladı. Ne düşüneceğini bilemiyordu.

Bu doğru olamazdı. Yoksa Deniz'den mi bahsediyordu? İşte şimdi her şey yerli yerine oturmaya başlamıştı. Deniz'in Hermann ve diğerleri hakkında nasıl bu kadar geniş bilgi sahibi olduğunu şimdi anlıyordu. Yoksa bunca detayı başka türlü öğrenmesine imkân yoktu.

Gözler önüne serilen gerçek karşısında tüyleri diken diken oldu. Nasıl oluyordu da Deniz bu kadar rahat davranabiliyordu? Belli ki bu adamın kendisi hakkında bilgi sahibi olmadığını düşünüyordu. Mert tehlikede miydi acaba? Zihninden binlerce soru geçti. En iyisi, işler düzelene kadar durumu hiç fark ettirmemekti, ama belli bir aşamada Deniz bu operasyonu mutlaka etkisiz hale getirmek isteyecekti. Bir fırsat bulursa bunu Mert'e anlatmalıydı, ama çok dikkatli olmalıydı. Mert ona ve grubuna çok güveniyordu. Bu güveni sarsacak bir şeyler yaparsa eğer, kendisi hakkında yanlış düşüncelere kapılabilirdi.

Tracy, işin en zor kısmına gelmişti. İstediği her şeyi öğrendikten sonra bu garip adamla aynı odada kalmak acı vericiydi.

Ertesi sabah Tracy, Mert ve Deniz, bir odanın içinde gergin bir ruh hali ile hazırlık yapıyorlardı. Deniz pek çok silah getirmişti yanında, Mert ile bunları paylaşıyorlardı. Teksas'taki Bilimsel Araştırma Merkezi'nin artık önlerindeki tek hedef olduğu çıkmıştı ortaya ve bu hedefe en kısa zamanda, hatta bu hafta sonu ulaşılması gerekiyordu.

Ancak bunun nasıl yapılacağı kafalarında soru işaretiydi. Pek çok yöntem olabilirdi. Mert'e göre en iyi yöntem, ağır silahlarla binaya saldırmak ve önlerine gelen herkesi temizlemekti. Ancak bu, durumu hayli karmaşık bir hale getirirdi.

Bir başka seçenek, oraya gizlice girmeye çalışmaktı. Ancak bu kadar önemli işler yapan bir şebekenin ne tür güvenlik önlemleri almış olabileceğini düşünmek bile istemiyorlardı.

"Bu binanın bir haritasını ve gizli çıkış yerleri olup olmadığını bulabilirim."

Mert, şaşkınlıkla Deniz'i izlerken Tracy'nin bakışları çok farklıydı. Şaşkın ve öfkeli, biraz da şüpheli gözlerle bakıyordu.

"Ne oldu, bana neden öyle bakıyorsunuz? Yıllardır bir sürü bağlantı kurdum ve bu binanın haritasını buldurabilirim. Bana sadece bir gün verin."

"Tamam Deniz. Peki bana kaynaklarını açıklamayacak mısın?"

"Buna gerek var mı? Belki duysan kaynaklarımı tanımak istemeyeceksin."

"Bu ilginç işte. Peki, sen bilirsin. Bu akşama kadar o haritayı istiyorum."

"Tamam, tüm yolları zorlayacağım. Bu akşam haritayı sana ulaştıracağım. Şimdi hemen gitmem gerek."

Deniz hızla yerinden kalktı ve odanın kapısını vurup çıktı. Mert ve Tracy birbirlerine bakakalmışlardı.

Bir süre sessiz kaldılar. Mert, Tracy'nin kendisine bir şeyler söylemeye çalıştığını anlamıştı. Aslında bunun dün gece ile alakalı olduğunu ve bildiği her şeyi Deniz'in yanında anlatamadığını hissetmişti.

"Söyle bakalım Tracy, Deniz'in bilmemesi gereken ne biliyorsun?"

Kadın bu sözleri duyunca korktu. Sanki beynini okuyordu Mert. Gözleri hiç tekin bakmıyordu. Şeytanla meleğin karışımıydı. İyilik adına kiralanmış bir katil gibiydi.

"Mert, bak... Bunun gerçekten onunla ilgili olup olmadığını bilmiyorum."

"Uzatma, söyle."

"O adam, Hermann denen beyinsiz. Bana hâlâ inanamadığım bazı şeyler söyledi."

"Peki bunlar Deniz'le mi alakalı?"

"Evet."

Mert, kendisine mutfak kısmından soğuk bir şeyler almaya gitti. Tracy onun bu kadar sessiz ve sakin olmasına anlam verememişti. Bu adamın psikolojik özellikleri gerçekten de normal değildi.

"Sen bilmiyorsun, Kurt'u aradım ve ona Deniz'e verdiği bilgi dosyası için teşekkür ettim."

"Eee, ne oldu?"

"Bana, Deniz'e böyle bir dosya vermediğini söyledi."

Tracy, Mert'in yüzüne dehşetle baktı. Düşündüklerinin gerçek olduğunu hissediyordu şimdi.

"Peki sen nereden anladın?"

"Açıkçası hâlâ tam emin değilim ama onunla tanıştığım andan beri garip bir gerginlik seziyorum. Benim insanların düşüncelerini sezinleme gibi kötü bir huyum var. Hiçbir şey anlamıyormuş gibi göründüğüm anlar, aslında karşımdaki insanı en ufak parçasına kadar analiz ettiğim anlardır. Deniz konusunda da başında beri çok iyi şeyler hissetmiyorum. Beyninde garip bazı çelişkiler barındırıyor bence."

"Ne yapacağız? Bu çok tehlikeli bir durum. Büyük ihtimalle bize o bilimsel araştırma merkezinin haritasını ve gizli geçişlerini gösteren her şeyi getirecek. Mert, bile bile bir tuzağın içine çekiliyormuşuz gibi geliyor."

"Evet, tam da bunu yapacağız. Bu tuzağın içine girmek zorundayız. Çünkü aradığımız şey, bu tuzağın içinde ve ona başka türlü ulaşma şansımız yok."

"Peki ya sonrasında ne yapacağız Mert? Bunlar sıradan insanlar değil ve o tuzağın içerisine girersek, bir daha asla çıkamayabiliriz."

"Ben ülkem için bu riskleri almaya hazırım. Ama sen böyle bir şey yapmak zorunda değilsin. Artık gidebilirsin, yapabileceğinin fazlasını yaptın. Burada yüz bin dolar var. Eğer yaşayabilirsem daha fazlasını da alacaksın."

Tracy ne yapacağını bilemiyordu. Burada ayrılıp gitmek, bir işi yarım bırakmak anlamına gelirdi ve hayatında doğru dürüst kendisine güven sağlayan ve saygı duymasına neden olan tek davranış biçimi, asla bir işi yarım bırakmamasıydı. Ama öte yanda da iyisiyle, kötüsüyle koskoca bir hayat duruyordu. Şimdiye kadar kimsenin kendisini adam yerine koymadığı bir hayat. Hayır, hayır, vereceği karar açıktı. Mert'le gidecekti, sonuna kadar.

"Peki içeride ne yapacağız?"

Tracy'nin "biz" diliyle konuşması Mert'i sevindirdi. Neden bilmiyordu ama onun yanında olmasını istiyordu. Bu sezgilerine güvenmekten başka bir şey yapmayacaktı. Hep güvenmişti sezgilerine, buna devam edecekti.

"İçeride ne yapacağımızı gerçekten bilmiyorum. Bütün gücümle savaşacağım ve o Sir Eli denen adamı yok etmeye uğraşacağım."

"Ve tabii ellerindeki politikacıları kurtarmalısın."

"Evet, zaten Sir Eli halledilirse gerisinin çorap söküğü gibi geleceğinden şüphem yok."

"Çok cesursun ve kendine çok güveniyorsun."

"Evet, benim işim bu. Asla düşünmem. Daha doğrusunu söylemek gerekirse düşünmem gereken yerler dışında düşünmem demek, ölmem demek anlamına gelir."

"Bu durumda sana güvenmeli miyim?"

"Güvenmek mi? Böylesine tehlikeli bir işteyken kendinden başka kimseye güvenmemelisin Tracy. Ama senin için elimden geleni yaparım, bunu biliyorsun."

"Biliyorum."

TEKSAS / BİLİMSEL ARAŞTIRMA MERKEZİ

24 Ekim 2007

Selçuk gözlerini açtı. Nerede olduğunu çok iyi biliyordu. Başı dehşetli bir şekilde ağrıyordu. Üzerinde ne kadar süredir deney yaptıklarını artık kestiremiyordu, algıları allak bullak olmuştu. Eğer bir gün bu olanları anlatma fırsatı bulursa, kimsenin ona inanmayacağını biliyordu. Herkes, uzaylılar tarafından kaçırıldığını iddia eden insanlara olduğu gibi davranacaktı ona.

Kolları bağlı değildi. Bu garip yere geldiği ilk günden beri inanılmaz derecede uyumlu davranmıştı. Hatta birkaç kez kapısı açık bırakılmış ya da kendisini bağlamayı "unutmuşlardı" ama o kaçmaya asla yeltenmemişti. Bunların kendisini denemek için yapılmış oyunlar olabileceğini düşünmüştü çünkü. Bu tür işlere kafası çalışıyordu. Bu konuları işleyen pek çok kitap okumuştu ve şimdi bu okuduğu kitapların yararını görüyordu.

Merkeze geldikten sonra onun her araştırmada uyumlu davranması ve aşağı yukarı doktorların beklediği sonuçların alınması, ki Selçuk onların neler beklediğini bir süre sonra anlamaya başlamıştı, genel olarak merkezdeki her çalışanda Selçuk'a karşı bir tür güven duygusu oluşturmuştu. Ve Selçuk ilk andan beri bu merkezi yok etmeyi düşünüyordu. Bunun için çok sabırlı olması gerektiğini de biliyordu. Ve o sabır, artık son haddindeydi. Abdullah Gül'ün ve Türk Dışişleri yetkililerinin bu merkeze getirildiğini öğrendikten sonra artık tek düşündüğü, bir açık yakalamak ve bu açığı olabilecek en uygun biçimde kullanmaktı. O hâlâ bir askerdi ve buraya getirilen Türk politikacıları kurtarması gerektiğini düşünüyordu.

Az önce bu fırsatı yakaladığını düşünmüştü. Kendisine bazı testler yapılacağını söyleyen bir doktor, pek çok ilacı getirip masasının üzerine bırakmıştı. "Birazdan geliyorum" diyerek odayı terk etmiş ve kapıyı da kilitlememişti. Bir süre bekledi Selçuk. Gelen giden olmadı. Belli ki doktor öğle yemeğine gitmişti. İş sırasında zamanı geldiğinde düzenli olarak öğle yemeklerine giderlerdi. Merkez bu açıdan gayet rahat bir yerdi.

Ve kapıyı kilitlememişti. Selçuk bu kez şansını denemesi gerektiğini düşündü. Öğle zamanı her şey yolundaysa eğer, izleme kameralarının başındaki adamlar odalarındaki masalarda yemek yer ve pek de bakmazlardı kamera görüntülerine. Zaten çoğu kamera, sadece korkutma amacıyla konulmuş gibiydi. Bunu kendi aralarındaki konuşmalardan duymuştu Selçuk.

Uzun zaman içinde kelime kelime elde ettiği bilgiler, onu merkezi en iyi tanıyan adamlardan birisi haline getirmişti. Bir holü gördüğü zaman oradan gelenlerin konuşmalarına kulak kabartır ve adım adım kafasında her şeyi resmederdi. Artık nerede olduğunu çok iyi biliyordu. Aşağı yukarı merkezde çalışanların şu an itibariyle nerede olup nasıl davrandıklarını ve yaptıkları işi daha ne kadar süreyle yapmaya devam edeceklerini de. Belki sapmalar olabilirdi ama riski en aza indirecek kadar öğrenmişti içlerini dışlarını.

Kendi üzerinde ne yaptıklarını ise asla tam olarak anlayamamıştı. Verdikleri ilaçlardan sonra kendisine bazı spor antrenmanları yaptırıyorlar ve elde ettikleri sonuçları kaydediyorlardı. Bazı ilaçlardan sonra performansı düşüyordu Selçuk'un, bazılarından sonra ise artıyor gibi oluyordu. Ama doktorların ona söylemediği bazı şeyler vardı. Genetik testler yaptıklarını ve bu genetik testlerin sonuçlarını asla kendisine söylemediklerini biliyordu. Ama bir denek olarak aşırı dayanıklı oluşu ve hemen hemen hiçbir ilacın kendisinde yan etki göstermemesi nedeniyle de kendisini çok sevdiklerini düşünüyordu.

Ayağa kalktı. Heyecanlanmıştı. Dizlerindeki dermanın azaldığını hissetti. Kapıya doğru gitti. Kolu aşağı indirince hafif bir tık sesi geldi kapıdan. Aralıktan dışarıya doğru baktı. Sevindi, beklediği gibiydi. Etrafta kimsecikler görünmüyordu. Üzerindeki garip kıyafeti değiştirmesi gerekiyordu. Hemen hole çıktı ve yürümeye başladı. Tavan köşelerindeki kameraların ölü bir şekilde kendisini kaydettiğini biliyordu. Hızlı olmalıydı. Evet, eğer onu gören birileri olsaydı çoktan alarmın çalmış olması gerekirdi.

Evet, koridor sonundaki kapı. Camlı kapının açıldığı bir başka koridor ve sağa dönüş. En sonunda çamaşırhane var.

Selçuk hızlı adımlarla aklında çizdiği harita doğrultusunda hareket ediyordu. Çamaşır odasını buldu. Hemen içeri girdi. Hepsini boşaltıp çamaşır torbalarını karıştırmaya başladı. Normal bir kıyafet ve hemen ardından da bir doktor gömleği.

Üzerine geçirdiği şeyler tam olmamıştı ama idare ederdi. *Şimdi ne yapmalıyım,* diye düşündü. Hemen çözüm bulup haritaya göre hareket etmeliydi. Çok çabuk olmazsa avantajı kaybederdi. Ama ok yaydan çıkmıştı bir kere, artık geri dönmemek üzere çıkmıştı o odadan. Ölmek de umurunda değildi. Görevi kendisi belirlemişti ve sonuna kadar uğraşacaktı. *Buraları karıştırmalıyım,* diye düşündü.

Havalandırma. Havalandırmayı bozabilirdi mesela. Bir kere bozulduğunda bir tamirci getirilmişti ve doktorlardan birisini tamirciye havalandırma merkezini tarif ederken duymuştu. Aylar önce hem de. Ve öylesine net bir şekilde ezberlemişti ki. Bunun için günlerce tekrar etmişti o tarifi. Şimdi beyninin içinde o tarifin yankılanışını dinliyordu. Hızla koridoru geç. Sağdan aşağıya dönen merdivenlerden in ve aşağıdaki katta sağa doğru git. En sonda karşına çıkacak olan merdivenlerden in ve üçüncü kapıdan sola bakanına gir. Orası havalandırma merkezi.

Selçuk bir dakika sonra havalandırma merkezindeydi. Dev havalandırma makinelerinin gürültüsünden başka bir şey duymak mümkün değildi. *Ne yapmalıyım,* diye düşündü. Havalandırmayı kapatması demek, insanların harekete geçmesi ve kendisinin yakalanması demekti. Daha kötü ve karmaşa yaratıcı bir şey yapmalıydı. Odayı araştırmaya başladı. Şişeler içerisinde kimyasallar vardı. Birini alıp kokladı. Kolay tutuşabilir bir şeydi. Bu maddeyi ateşlerse ne yapacaktı? Yangın mı? Bu çok kolay olurdu. Yangın hemen söndürülür ve herkes alarma geçeceği için yine şansı kalmazdı.

Daha tehlikeli ve etkili bir şey geldi aklına. Yangını o odada çıkarmak ve dumanını havalandırma vasıtasıyla bütün merkeze yaymak. Havalandırma dairesinin kapısını da kilitlerse onu durdurmaları zaman alacağından merkezi boşaltmak zorunda kalacaklardı.

Ama acele etmezse havalandırmadan sızan duman Dışişleri Bakanını ve bürokratları da etkileyebilirdi.

Kimyasal maddeyi yere döktü. Havalandırmaya giden sistemi, havayı dışarıdan değil, daire içinden alır moda getirdi. Bu bir bakıma kapalı devre havalandırma sisteminin devreye girmesi anlamına geliyordu. Uzun süre bu sistemin açık kalması oksijen miktarını düşüreceği için yine fark edilirdi.

Sistem şimdi kapalı biçimde çalışıyordu. Havalandırma dairesinden dönüyor ve aynı havayı çeviriyordu.

Kimyasal maddeyi nasıl yakacağını düşünememişti. Etrafına bakındı. Birkaç saniye sonra bile havanın ısınmaya başladığını hissedebiliyordu. Düşündüğünden de çabuk başlamıştı sistemin oksijeni emmesi.

Duvara dayalı bir demir parçası gördü. Onu alıp kimyasalı yere döktüğü noktadaki demir borulara vurmaya başladı. Ardı ardına denemeleri sonuç vermiyordu. En sonunda sıçrayan bir kıvılcım yerdeki maddenin ateş almasını sağladı.

Alevler aniden yayılmaya başlamıştı. Simsiyah bir duman odaya dolmaya başladı. Selçuk'u şiddetli bir öksürük tuttu. Hemen kimyasalın geri kalanını da ateşin üzerine döküp odadan çıktı. Dışarıdan kilitleyip anahtarı üzerinde kırdı. Otomatik yangın söndürme sistemi devreye girene kadar yeterince duman dolmuş olurdu binaya.

Abdullah Gül'ün odasını bulmalıydı. Bunu çok düşünmüştü. Hangisi olabileceğini. Aklında iki seçenek vardı. Koşarak üst kata çıkıp koridoru geçerken kötü bir kokunun hızla havalandırmadan dışarıya doğru sızmaya başladığını fark etti. Duman henüz görünmemişti ama bu aklından geçerken siyah bir duman tabakasının sis gibi bir anda oluşmaya başladığını fark etti. Her şeyin çok hızlı gelişeceğini hissediyordu. Çabuk olmazsa kurtarmaya çalıştığı insanı kendi elleri ile dumana maruz bırakmış olacaktı.

Aklındaki odalardan birisinin kapısına gitti. Tabii ki kilitliydi. Tekmelemeye başladı. Kapıyı bir doktor açtı. Dehşet içinde Selçuk'a bakıyordu. Selçuk doktorlardan birisi ile karşılaşınca ne diyeceğini bilemedi ve çok şaşırdı önce. Sonra aklına gelen şeyi söyledi:

"Doktor, yangın var. Size haber vereyim dedim."

Doktor şokun etkisi ile aslında Selçuk'un söylediği şeyin ne kadar mantıksız olduğunu anlamadı. Durumu idrak edene kadar hayatında almadığı kadar sert bir darbeyi almıştı kafasına. Yere yıkıldı.

Selçuk içeriye girip artık duman dolmaya başlayan odaya baktı. Koridorlarda ayak sesleri duyuluyordu. Öğle yemeği tam bir şoka dönüşüyordu. Bunu nasıl yaptığını düşünüp şaşırdı ve sevindi. Sabrı işe yaramıştı.

Odanın içinde bir adam oturuyordu. Sürekli yere bakıyordu. Selçuk, adamın yanına gitti ama bu adam Dışişleri Bakanı değildi. Bürokratlardan birisi olmalıydı. Hayli kötü görünüyordu durumu.

"Lütfen benimle gelin," dedi ve kolundan tutup kaldırdı. Hasan Beydi bu. Zihni yapısı çok hasar görmüştü. Maruz kaldığı zihin kontrol çalışmalarının bütün yan etkilerini taşıyordu.

Selçuk'a direndi önce, ama sonra dumanın etkisiyle içgüdüsel olarak harekete geçti ve onunla yürümeye başladı. Diğer kapıya gittiler. Açıktı. Birileri odaya girmişti. Değerli konuklarını kurtarmak için kapıyı açıp, öylece bırakmışlardı. Dışarı çıkmasına yardımcı olmaya çalışıyorlardı. Koridorlarda görüş, bir hayli azalmıştı.

Hasan Bey, öksürmeye başlayınca içerdekiler ona doğru döndü. Panikteydiler, kontrol kalkmış gibiydi merkezde. Birilerinin havalandırma dairesine doğru koştuğu duyuluyordu. Yangın söndürme sistemi çalışmıştı ve her yerden sular püskürtüyordu. Bu, durumu daha da kötüleştirdi. Su ve duman, görmeyi ve nefes alıp vermeyi daha da zorlaştırmıştı. Selçuk bu fırsattan faydalandı. Odaya daldı ve Gül'ü odadan çıkarmak isteyenlere saldırdı. Neye uğradıklarını şaşırmışlardı. Doktor kıyafetli birisinin saldırısına uğruyorlardı. Selçuk hiç acımadan yere yıktı adamları. Selçuk, adamlarla boğuşurken başını çarpmıştı. Gül'ün yardımıyla ayağa kalktı.

"Efendim, ben Selçuk. Türk askeri."

Gül'ün gözleri doldu bir an.

"Bir an önce buradan çıkmalıyız Bakanım."

"Tamam oğlum. Hasan Bey iyi değil. Ben onu tutarım. Sen diğer bürokratlara bak. Şu aşağıdaki odada tutuluyorlar."

"Baş üstüne efendim."

Abdullah Gül, Hasan Beyi kolundan tutup dışarı çıkartırken,

Hasan Bey hâlâ ne olduğunu anlayamamış gibi hareket ediyordu.

Selçuk odayı terk etti. Bir anda dumanların arasında kaybolmuştu. Bir kapının kırılma sesini duydu Gül. Sonra boğuşmalar. Ve bir silahın patlama sesi. Ne olduğunu anlayamadı. Kimin vurulduğunu bilmiyordu. Ancak bir dakika sonra Selçuk, peşinde diğer bürokratlarla dumanların arasından çıkmıştı. Birisinin kolu kanıyordu. Mermi onu sıyırmış olmalıydı ama silahı Selçuk aldığına göre silahın sahibinin artık bir sorun yaratma ihtimali kalmamıştı.

Selçuk nereye doğru gitmeleri gerektiğini çok iyi biliyordu. Bir yangın tatbikatında açık olan kapıların nerede olduğunu da. Hemen aklındaki haritayı devreye soktu. Koridorlar artık nefes alınabilecek yerler değildi. Koşuşturmalar artmıştı. Havalandırma dairesinin kapısı kırılmaya çalışılıyordu. Demir kapının kırılması kolay olmayacaktı, ama kırılsa bile yangını söndürmek bir işe yaramazdı. Dumanın tahliye edilmesi için hayli uzun bir zaman gerekiyordu. Koridorları takip edip en alt kata doğru inmeye başladılar. Sonra büyük jeneratörlerin olduğu geniş bir deponun kapısına geldiklerinde güvenlik görevlileri ile karşılaştılar. Selçuk mermileri üzerlerine boşalttı. Onlar da ateş etmiş ve Selçuk'u vurmuşlardı. Ama yaralıydı ve yürüyebilirdi. Birbirlerine tutunarak onu takip ettiler. En sonunda geldikleri geniş oda bir çeşit depoyu andırıyordu. Burası dışarıdan gelen hassas aletlerin ve ilaçların tutulduğu depoydu ve doğrudan dışarı açılan bir kapısı olmalıydı. El yordamıyla duvarları yoklayıp en sonunda kapıyı buldular. Selçuk diğer şarjörü takıp kilide ateş etti ve kapı bir anda açıldı.

Hepsi kendilerini dışarıya attı. Bir anda açık havaya çıkmak tuhaftı. Özellikle Selçuk için çok acı vericiydi, iki yıldır gün yüzü görmemişti çünkü. Güneş ışığını görmek, taze oksijeni almak... Bir anda gözleri karardı, bayılacak gibi oldu. Abdullah Gül tuttu kolundan.

"Hemen buradan uzaklaşmalıyız," dedi Gül.

Başını salladı Selçuk.

Yarı çöle doğru koşmaya başladılar. Merkezin arkasındaydılar. Dışarıdan bakıldığında son derece modern ve sıradan bir üniversite araştırma birimi gibi duruyordu. Pek de fazla güvenlik yoktu. Selçuk bir anda aslında içeride uygulananların ve sistemin de yapılmaya çalışılan şeyin bir parçası olduğunu anladı. Aslında hiç de düşündüğü gibi, kale gibi bir merkezde, bilinmez bir yerde değildi. Son derece sıradan bir yerdi, ama öyle şeylere inandırılmışlardı ki burasının aslında o kadar fevkalade bir yer olmadığını asla akıllarından geçiremezlerdi. Bu kadar zamandır istese çoktan kaçabileceğini düşündü. Ama zihnine öyle bir imge, öyle bir düşünce yerleştirmişlerdi ki, aslında bunca zamandır bu binanın içinde değil, kendi zihninde yarattığı hapishanenin içinde kapalı kaldığını anladı...

Binadan hayli uzaklaşmışlardı. Ana girişin önünde yaşanan paniği görebiliyorlardı. Bürokratlardan birisi öksürerek cebinden bir şey çıkardı ve Abdullah Gül'e uzattı. Hepsi çok şaşırmıştı.

"Nereden buldun bunu?" diye sordu Gül.

"Efendim, Selçuk'un silahını elinden aldığı adamın cebinden düşmüştü. Ben de alıp cebe attım."

Selçuk akan kanını bastırmaya çalışarak bürokratın uzattığı cep telefonuna baktı ve gülümsedi.

"Şu an tek ihtiyacımız olan şeyi yerden alıp cebine attığını mı söylüyorsun?"

Başını salladı bürokrat. Herkes çok yorgundu ve merkezdeki görevlilerin artık binaya doğru değil ama etrafa bakınmaya başladığını görmüşlerdi. Fazla mermileri yoktu. Eğer onları aramaya başlar ve bulurlarsa yaşamalarına imkân olmazdı, çünkü teslim olmak gibi bir niyetleri yoktu.

Ancak yavaş yavaş peşlerine düştüklerini gördüler. Eli silahlı insanlar merkezin dışına doğru her çıkıntıya bakarak ilerliyordu. Kendilerini bulmaları fazla zaman almazdı. Hemen hareket etmeliydiler. Görünmemeye çalışarak harekete geçtiler. Çalılar ve kaya parçalarını kendilerine siper ediyorlardı. Çok fazla ilerleyemeyeceklerini anladılar ve buldukları bir oyuğun içine girdiler.

Abdullah Gül bir numara çevirip telefonu kulağına götürdü. Bir süre bekledi. Telefon açılınca yüzü aydınlandı ve gülümsedi.

"Başbakanım, selamlar..."

Karşısındaki kişinin Tayyip Erdoğan olduğunu anladılar o zaman. Kulak kabarttılar.

"Başbakanım, evet, iyiyiz hepimiz. Bizi garip bir yere kapatmışlardı. Teksas'ta bir yer. Yerini tam bilemiyoruz ama araştırma merkezi gibi."

"İyiyiz efendim. Yalnız fazla zamanımız yok. Bizi arıyorlar."

"Evet, Başbakanım, gerçekten iyiyiz. Ama ... Evet, bir an önce Rumsfeld ile bağlantı kursanız iyi olur. Bizi buradan kurtarsınlar. Dikkat etsinler. Hepsi silahlı bu adamların."

Telefonu kapattı. Artık iyi durumda olmalıydılar.

Cep telefonu çaldı yine.

"Merhaba Bakanım!" Arayan, Maliye Bakanıydı.

"Evet, evet, iyiyiz Allaha şükür, ama işte silahlı adamlar var peşimizde ve bizi arıyorlar. Çok teşekkürler. İnşallah, inşallah."

Telefonu kapattı.

Selçuk karşıdan gelen adamların kendilerinin bulunduğu oyuğun tam önünden geçeceğini anlayınca diğerlerine işaret edip iyice yere yatmalarını istedi.

Mert, Deniz ve Tracy yola çıkalı çok fazla olmamıştı. Deniz çok sessizdi. Tracy de konuşmuyordu. Mert ise bir şeyler mırıldanıp duruyordu.

"Ne yapmayı planladığını bana söylemeyecek misin Mert?"

"Hayır Deniz, sen bana bu bilgileri nereden aldığını söylemezsen ben de sana ne yapmayı düşündüğümü söylemeyeceğim."

"Ama bu çok çocukça."

"Olabilir. Hatta oraya sen ve Tracy'nin beraber gitmenizi istiyorum."

"Ne? Allah'ım çıldırdın mı sen ya? Sen ne yapacaksın?"

"Ben, dediğim gibi, hiçbirinizin aklına bile gelmeyecek bir şey yapmaya karar verdim. Başka yol yok açıkçası."

"Bak Mert, saçmalama. İşte bütün gizli girişleri buldum. İçeri girip halledeceğiz."

"Deniz, bazı şeyler değişmiş olabilir. Sadece senin kaynaklarına güvenmek zorunda değilim."

"Güvenebilirsin ama..."

"Bana çok baskı yapıyorsun. Bundan nefret ederim. Sakın bir daha baskı yapma bana."

Mert bunları söylerken çok sinirlenmişti. Köpürüyordu adeta. Arabayı yolun kenarına çekti.

"Sen ve Tracy şimdi yola devam edin. Oraya geldiğinizde güvenli bir alanda beni bekleyin."

"Peki, senin oraya geldiğini nasıl anlayacağız Mert?"

"Merak etmeyin, anlayacaksınız."

Mert, Tracy'ye bakıp göz kırptı. Kendisine güvenmesini istiyordu. Öyle de yapacaktı Tracy.

Deniz ve Tracy yol boyunca hiç konuşmadılar. İkisi de birbirinin aklından neler geçtiğini merak ediyordu, daha da önemlisi Mert'in ne yapacağını merak ediyorlardı.

Tayyip Erdoğan Rumsfeld ile bir süredir görüşmemişti. Abdullah Gül'ün acil telefonundan bahsetti ona ve Suudi çöllerindeki operasyonun sona ermiş olmasından duyduğu memnuniyeti iletti.

Rumsfeld, ilk görüşmeye göre daha sakindi. Sir Eli ve onun kukla hükümetinin Kutsal Toprakları ele geçirmek suretiyle dünyayı büyük bir karışıklığa sokma planının sekteye uğramış olması onu nispeten de olsa rahatlatıyordu.

"Sayın Erdoğan, şunu söylemem gerekir ki henüz çözümlenmemiş bir konu var. Hazır Sayın Gül'ü kurtarmak için gereken operasyonu devreye sokarken onu da konuşalım."

"Nedir o?"

"Biliyorsunuz, bir nükleer patlama yaşadık. Bir başka nükleer bomba ise halen New York'ta bir yerlerde. Ve şu anda New York, bizim yeni başkentimiz. Eğer bir kaza olursa... Cümleyi tamamlamama gerek yok sanırım."

Erdoğan bir süre düşündü. Bu işi doğrudan kendisi çözemezdi. Ama Gül'ün kurtarılması için de bir şeyler yapılması gerekiyordu, hem de hemen.

"Peki Sayın Rumsfeld, bir şeyler yapmaya çalışırım. Oraya o bombayı kim soktu bilmiyoruz ama istihbaratın gereken çalışmayı yapıp ikinci bombanın yerinin bulunmasını bir şekilde sağlayabilirim."

"Gerçekten çok teşekkür ederim size. Ben özel bir hava kuvvetleri kurtarma ekibini hazırlattım. Halen bize sadık olan ve bu hükümetin nasıl da yasadışı yollardan gücü ele geçirdiğini bilen komutanlar bunlar."

"Sayın Rumsfeld, Stillson hükümetinin en kısa zamanda durdurulması gerekiyor."

"Bunun için uğraşıyoruz Sayın Erdoğan. Ancak önce Sir Eli denen şu adamın yok edilmesi lazım. Bu konudaki gelişmeleri duymak isterim doğrusu."

"Merak etmeyin Rumsfeld, yakında duyacaksınız. Ama benden değil, kendi adamlarınızdan. Gözlerinize inanamayacaksınız."

"Bunu duymak beni çok sevindirdi."

"Peki, nükleer bomba işini takip edeceğim. Bu arada eğer barış ve güvenlikten bahsediyorsak bu kavramlar tüm bölge için geçerli olmalı; İsrail'de de, Filistin'de de, İran ve Irak'ta da."

"Evet, bu konuda hemfikiriz. Ben şunu çok iyi gördüm, Ortadoğu'da savaşmak demek, sonsuza doğru saymak demek. Asla bitmeyecek bir şey. Bence hiç başlatılmamalıydı."

"Oldu bir kere. Önemli olan bundan sonrası. En kısa zamanda İstanbul'da sizinle, İsrail Başbakanı ile ve Filistin Devlet Başkanı ile bir toplantı yapalım. Gereken kararları alalım ve Ortadoğu'ya bitmeyecek bir barış getirelim."

"Evet, evet... Bunu yapmak benim hayatımın görevi olacak. On yıllardır Ortadoğu'dayım ve sanırım bu muhteşem topraklara karşı böyle bir sorumluluğum oluştu diyebilirim."

"Bu sorumluluğu en iyi şekilde yerine getireceğinizi düşünüyorum. Bakın, bu topraklarda yaşayanlar düşmanlık nedir bilmez. Emin olun, Türkler siz ne yapmış olursanız olun içlerinde bir düşmanlık beslemeyecektir."

"Bunu biliyorum, bu büyük hata, yani Türkiye'yi gerçek koşulları ile değerlendirememe hatasını yapmam, hayatımı değiştirdi. Pek çok şeyi anlamamı sağladı."

Selçuk, silahı hazırladı. Adamlar tam onların yanından geçerken birden dönüp oyuğun içine baktı. Herkes şaşırdı, yüz yüze gelmişlerdi. Adamlar bunu beklemedikleri için birden korkup irkildi ve sendelediler. Selçuk adamların sersemlemesinden yararlanıp her iki adamı da kafalarından vurdu.

Adamların düşerken çıkardığı gürültüyü herkes duymuştu. Selçuk koşup adamların silahlarını aldı. İki tane M-16 tüfeğiydi bunlar. Yanlarında da fazladan birer şarjör vardı.

Tabancayı Abdullah Gül aldı. On tane mermisi vardı. Bu nedenle dikkatli harcaması gerekiyordu mermiyi. M-16'nın birini Selçuk aldı. Diğerini de en genç bürokrata verdi ve silahı nasıl kullanması gerektiğini hatırlattı. Ona tek tek atmasını söyledi mermileri. Ve çok iyi nişan almalıydılar.

Silahlı muhafızların hızla yaklaştıklarını görebiliyorlardı. Adamları bir süre kendilerinden uzak tutmaları zorunluydu. Selçuk nişan aldı ve gelenlere iki el ateş etti. Adamlardan birisi vurulup düştü. Diğeri de onun üzerine eğildi. Yaralanmış olmalıydı. Öbür taraftan yaklaşmaya çalışanlara diğer M-16'yı alan bürokrat ateş etti. Sadece tek bir mermi atmıştı. Kimseyi vuramadı ama bu atış caydırıcı oldu, muhafızlar hayli silah gücü olduğunu düşündükleri için yaklaşmadılar. Muhafızlar bir noktada toplanmıştı. Ne yapacaklarını planlıyor olmalıydılar. Etraf son derece açıktı. O noktaya geniş bir alanda yaklaşmaya çalışmak demek, ölüme davetiye çıkarmaktı. Muhafız şefinin çıldırmış gibi sağa sola bağırdığını ve adamlarına kızdığını görebiliyorlardı.

Selçuk bir kez daha nişan aldı. M-16'nın bin metre etkili menzili vardı ve gördüğü kadarıyla o kalabalık, bu menzile çok yakındı. Ancak mantıklarını yitirdikleri için bunu fark edecek durumda değildiler.

Selçuk, muhafız şefini nişanlamıştı. Adamı şimdi arpacığın hemen üzerinde görebiliyordu. Tetiği yumuşattı, hedefin bir an için durmasını bekledi. Öyle de oldu. Adam bağırmaktan yorgun düşüp elleriyle yüzünü kapattı ve o anda Selçuk silahı ateşledi.

Mermi tam muhafız şefinin göğsüne isabet etti, adam yere yıkıldı. Bir anda diğer muhafızlar, Selçukların bulunduğu noktaya mermi yağdırmaya başladılar. Bir süre başlarını aşağıda tutmaları gerekiyordu. Kulaklarının dibinde vızıldayan mermi tanelerinden korunmaya çalışıyorlardı. Selçuk çok iyi bir şey yaptığını düşünüyordu. Şimdi muhafızlar panikle saçmalayacaklar ve kendilerini açığa çıkarıp daha çok kayıp vereceklerdi.

Bu sırada çok uzakta, bir sıra aracın Bilimsel Araştırma Merkezi'ne doğru geldiğini gördüler. Bu kötü haberdi. Zırhlı Humveeleri görüyordu Selçuk. Bu artık zamanlarının dakikalarla ölçülebileceğinin göstergesiydi. Birazdan üzerlerine bu araçlarla gelip hepsinin işini bitireceklerdi.

Selçuk gelen kişinin çok önemli birisi olduğunu düşündü. Araçlar belirli bir mesafede durduktan sonra zırhlı olduğunu düşündüğü bir minibüsten dışarı pek çok kişi indi.

Bu gelen, Sir Eli'ydi. Abdullah Gül ile konuşmak için gelmişti. Yetkililerden bilgi aldıktan sonra o da çılgına dönmüştü. Zaten Suudi Arabistan'daki operasyon başarısız olmuştu. Bir de bunun üzerine böylesine saçma bir biçimde, elindeki adamın birkaç yüz metre ötede olmasına rağmen ele geçirilememesi... Bu gerçekten kaldırabileceği bir şey değildi.

Sir Eli'nin emri kesindi. Zırhlı araçlar derhal gidip o delikteki herkesi yakalayacak ya da öldürecekti.

Humveeler harekete geçti. Üzerindeki askerler makineli tüfekleri ateşe hazırlamıştı. Selçuk gökyüzünü ve ufku taradı ama hiç de yardım geliyormuş gibi bir hava yoktu. Uzaktan Humvee'nin üzerindeki askere ateş etti ama koruma zırhına çarptı mermi. Yine de asker kendisini daha çok korumak için önlem aldı. Ancak bu silahla onları durdurmasına imkân yoktu.

Mert herkesin çok şaşıracağını biliyordu. Aslında kendisi bile bu yaptığı deliliğe şaşırıyordu. Kimsenin bilmediği bir hava üssü çöplüğü vardı, tamamen eski uçaklardan oluşan. Oraya pek giden olmazdı. Ve Mert bu uçak çöplüğünü sık sık ziyaret ederdi. Çöplüğün bekçisine az yardım etmemişti. Adam da onun kim olduğunu bilmediği için istediği her konuda Mert'e anlayışlı davranıyordu. Geçmiş yıllarda o uçak çöplüğünde bir süper Cobra helikopteri saklamıştı. Ve helikopter kullanmak, Mert'in en iyi yaptığı işlerden biriydi.

Cobra'yı, uzun süre önce İtalyan mafyası vasıtasıyla silah kaçakçılarından almış ve o çöplükte iyice saklamıştı. Bu tür silahların ne zaman gerekli olacağı belli olmazdı ve şimdi tam da o an gelmişti.

Süper Cobra helikopterine sadece makineli top ve roketlerini takmıştı. Yere çok yakın irtifadan uçuruyordu. Bazen evlerin yakınlarından da geçmek zorunda kalıyordu ve bu anlarda insanların dışarı fırlayıp ona baktığını görüyordu. Sesi insanları ürkütecek bir silahtı. Zamanın ondan yana işlemediğini biliyordu. Sürekli olarak sarsılan helikopterin içinde aletlerin doğru çalışıp çalışmadığını kontrol ediyordu. En önemlisi de hedefleme sistemiydi ve öyle görünüyordu ki şansı yerindeydi.

Hedef bölgesine az kalmıştı. Birazdan orada olacaktı ama nasıl bir tabloyla karşılaşacağını bilmiyordu. Sir Eli'nin hedef bölgede olacağını söylemişlerdi. Bu nedenle helikopteri indirip çatışmak zorunda kalabilirdi. Arka pilotun koltuğuna bir tane ağır makineliyi koymuştu. Sir Eli'yi ne olursa olsun yok edecekti. Tabii eğer her şey doğruysa ve bugün merkezi ziyarete gidiyorsa. Sonrası kolaydı. Uğuldayan kulakları, rahat düşünmesini engelliyordu.

Hedef alanına geldiğinde etrafın hayli karışmış olduğunu gördü. Bilimsel Araştırma Merkezi'ni görebiliyordu. Ama bir gariplik vardı. Her yerinden dumanlar çıkıyordu merkezin. İnsanlar dışarıya kaçmışlardı. Eli silahlı pek çok insan vardı. Bir dizi zırhlı aracı, kaliteli otomobilleri ve minibüsleri yan yana görünce önemli birisinin, Sir Eli'nin oraya gelmiş olduğunu anladı. İstihbarat doğruydu.

Ancak Abdullah Gül ve diğerleri neredeydi? Alan üzerinde bir tur daha atarken herkes şimdi helikopteri izliyor ve kime ait olduğunu anlamaya çalışıyordu. Mert, bir şey fark etti; bazı zırhlı araçlar belli bir noktaya yönelmişti. O noktada ne olduğunu öğrenmesi gerekiyordu.

Bu sırada oyuğun içindeki Türkler, üzerlerine makineli ateşi açarak gelen Humveeleri durdurmak için ellerindeki silahları üzerlerine boşaltıyorlardı. Son şanslarını kullanıyorlardı. *Bu helikopter de neyin nesi,* diye düşündü Selçuk. *Eğer bu da bizi kurtarmaya gelmediyse hapı yuttuk.*

Mert, öylesine yakınlarından geçmişti ki yerde küçük bir oyuğun içine sığışmış, üzerlerine gelen zırhlı araçlara ateş eden insanları gördüğünde içi cız etmişti. Bir his ona aradığı insanların onlar olduğunu söyledi.

Hemen kafasında bir planlama yaptı. İlk olarak zırhlı araçların işini bitirmeliydi. Zaten Humveeler de durmuş ve helikopterin yapacağı saldırıyı bekliyordu. Onlar Mert'i kendi adamları sanmışlardı. Oyuğu havaya uçurmasını bekliyorlardı. Galiba diğerleri de aynı şeyi düşünmüştü ama kimsenin aklına bunu birisine sormak gelmemişti.

Deniz ve Tracy, uzak bir mesafede, olan biteni izliyor ve hâlâ Mert'i bekliyorlardı. Helikopterin Sir Eli'ye ait olduğunu düşünüyor ve merkezde çıkan yangının nedenini merak ediyorlardı.

Mert, helikopteri çevirdi ve Humveeler'den birisini tam nişan kamerasının ortasına aldı. Artı işareti, Humvee'nin tam üzerindeydi şimdi. Araçtaki askerler bunu fark etmiş, ama ne olduğunu anlamamışlardı. Belki de inanmak istemiyordu bilinçleri. Ve düğmeye bastı. Yirmi milimetre makineli topun mermileri, ardı ardına Humvee'ye çarpmaya başladı. Her mermi, zırhı delip içeride patladı; saniyeler sonra ikinci ve üçüncü araç da aynı duruma gelmişti. Askerler bir şey yapma ya da karşı ateş açma zamanı bulamamıştı.

Bu görüntü Sir Eli ve etrafındaki herkesin kanını dondurdu. Bu olamazdı. Herkes ölüm korkusunu tam içinde hissetti. Havada asılı duran ölümcül silaha bir şey yapamazlardı ve o karşı taraftaydı.

Helikopterin zırhlıları vurduğunu görünce Tracy sevinçle bağırdı:

"Mert bu, Mert bu!!!"

Deniz garip bir şekilde tepki vermemişti. Buna sevinmemiş gibiydi sanki. Bu kadar da açık bir şekilde duygularını belli etmesi tuhaftı doğrusu.

"Sanırım Sir Eli'nin tuzağına düşecek kadar aptal olduğunu sandın," dedi Tracy.

Deniz bu sözleri duyunca bir anda çileden çıktı. Hiç konuşmadan sağ elinin tersi ile Tracy'ye vurdu. Tracy, onun bu kadar sert vurabileceğini düşünmemişti. Hemen kapıyı açıp arabadan indi ama Deniz de peşinden gelmişti.

Tracy birden işlerin değiştiğini anladı. Umutsuzca helikoptere doğru baktı. Helikopter makineli toplarını Sir Eli ve adamlarının olduğu araçlara ve o bölgedeki herkesin üzerine boşaltmakla meşguldü.

Deniz, belindeki silahı çıkarttı. Tracy buna inanamıyordu. Sona bu kadar yaklaşmışken ve her şey yoluna girecekken böyle bir şey olabileceğine inanamıyordu.

"Aşağılık insan! Sir Eli'yi ben yakalayacaktım. Ne kadar uzun zamandır sırf onu yakalamak için onunla beraberdim ve siz gelip bütün çabalarımı boşa çıkarttınız."

"Dur Deniz! Ne önemi var?! Sana inanıyorum."

"Hayır, bana inanmıyorsun ve bunun da bir önemi yok zaten. Mert'in nasıl olup da seni bu işe soktuğunu anlamıyorum. Hepimizi ortaya çıkaracak bilgin var."

"Hayır... Ben..."

Deniz ardı ardına mermileri Tracy'nin karnına sapladı. Tabancının sesi, helikopterin sesi tarafından bastırılıyordu. Deniz hemen arabaya atladı ve geldiği yoldan geri döndü. Gri Takım ajanları özgür insanlardı. Her biri garip bir ruha sahipti. Bu gerekliydi aslında. Tehlikeler denizinde ayakta kalabilmek için bu gerekliydi.

Tracy, başına gelene hâlâ inanamıyordu. Tehlikeye bu kadar yakın olduğunu düşünmediğini fark etti. Garip bir sıcaklık yayılmaya başladı bedenine. Çok hızlıydı. Bedenini ele geçiriyordu. Sıcaklığın geldiği yerlerde artık hisleri kalmıyordu. Birazdan sıcaklık kalbine doğru geldi, aynı anda beynine de. Yüzünün uyuştuğunu hissedebildi, gözü karardı. En son, sıcaklık kalbine geldiğinde zorlandı ve kasıldı. Bir daha kasıldı. Artık hiçbir şey hissetmiyordu.

Selçuk, etrafta uçuşan makineli top parçacıklarına aldırmadan iki M-16'yı aldı ve dışarıya çıktı. Abdullah Gül de tabancası ile peşinden gitti. Bürokratlar onu tutmak istemişlerdi, ama biliyorlardı, o kafasına koydu mu durdurmanın imkânı yoktu.

Mert de Selçuk'u gördü. *Aslanım*, diye geçirdi içinden. Az önce saldırdığı yere baktı. Gerçekten de fazla bir şey kalmamıştı geriye. Hareket eden kimse görünmüyordu. Bilimsel Araştırma Merkezi'ne çevirdi helikopteri ve roketleri ardı ardına yollamaya başladı. Patlamalar, hepsinin yere yatmasına neden oldu.

Merkez alevler içinde yanıyordu. Ortalık karışmıştı iyice. Patlamalar kesilmiyordu. Çok şiddetli patlamalar. Selçuk hemen Gül'ün yanına gelip onun üzerine kapandı. Binadan sıçrayan parçalar üzerlerine geliyordu. Vücutları çizik içinde kalmıştı.

Biraz sonra helikopter alana indi. Mert inip elindeki makineli ile onlara yaklaştı. Gerçekten de dramatik bir andı. İnanamıyordu insanlar. Son birkaç saat içinde yaşadıklarına inanamıyorlardı. Ve bilmiyorlardı tabii bu adamın kim olduğunu.

"Sayın Bakanım, ben Mert Han. Buraya sizi ve yanınızdakileri kurtarmaya geldim. Hemen buradan uzaklaşacak bir araç bulalım."

"Sağol oğlum," dedi Gül. Mert onların yanına gelirken etrafa bakınmış, ama otomobili görmemişti. Deniz'in ve Tracy'nin nerede olduğunu bilmiyordu, ama şimdi bunu düşünecek durumda değildi. Hemen yanındakilerle beraber bir otomobil bulmalıydılar. Az önce parçalanmış olan araçların yanına gittiler. Merkezin arkasındaki otomobillerden birisi hasar görmemişti. Hemen otomobile bindiler. Mert direksiyona geçti ve gaza bastı. O sırada çok uzaklardan büyük bir Amerikan polis gücü geliyordu. Rumsfeld sözünü tutmuştu. Ama tek bulacakları, yok olmuş bir merkez ve ölmüş insanlar olacaktı.

Otomobil hızla giderken, Mert bir anda yerde yatan birisi olduğunu gördü. Ve yanından geçerken onun Tracy olduğunu da. Tarifsiz bir acı hissetti içinde. Yaşadığı acının ne kadar derinlerden geldiğini duyumsadı. Neler olduğunu aşağı yukarı tahmin ediyordu. Ama durup ona bakmadı bile. Görevi nelerden önce gelirdi, Tanrı biliyordu. Tracy ölmüştü, onu Deniz öldürmüştü. Mert belli etmemeye çalıştı ama üzüntüden bütün bedeni titredi. Selçuk olanları anlar gibi oldu.

"Onu tanıyor muydun?" dedi.

"Sayılır."

Selçuk daha fazla konuşmanın mantıksız olduğunu gördü. Her ne olmuştu bilmiyordu ama Mert'in yerde cansız yatan kadın için çok üzüldüğünü anlamıştı.

Abdullah Gül ise Ersin'i düşünüyordu. Üzerinde uygulanan testlere dayanamadığını ve kimsenin görmek istemeyeceği bir biçimde öldüğünü duymuştu. Bu yaşadığı bir yolculuktu aslında ve çok şey öğrenmişti. Türkiye, her zaman bir hedef olacaktı ve o hedef tüm yollarla savunulmalıydı. Sadece silahla değil, zihinle de... Türkiye'ye döner dönmez bununla ilgili bir şeyler yapmaya karar verdi.

25 Ekim 2007
New York

Stillson ne yapacağını bilemez halde odasında dolaşıp duruyordu. Elleri titriyordu. Hiçbir yerden iyi haber gelmiyordu. Sir Eli de ortadan kaybolmuştu. Adam bir anda yok olmuştu. Buna inanamıyordu. Gemi batıyordu ve onu terk etme isteği bütün enerjisini çekip alıyordu. Kaçmak istiyordu, ama nasıl?

Rumsfeld'in telefonu tam bu anda geldi:

"Stillson, olanları görmüyor musun?"

"Neden bahsediyorsunuz? Anlamıyorum."

"Bana bak! Beni sinirlendiriyorsun. Sizden derhal seçime gitmenizi istiyorum."

"Bay Rumsfeld..."

"Sir Eli denen o herif öldü, sen hâlâ direnmeye mi çalışıyorsun?"

Stillson'un dizleri titriyordu. Gücünün artık hiçbir yerde geçmediğinin farkındaydı. Bundan sonra nereye dayanacaktı? Bu kukla hükümete bile hakim değildi zaten. Kimse onu ciddiye almıyordu. Bir şeyler yapmalı ve bu sorunu çözmeliydi. Eğer

Sir Eli de öldüyse zaten...

"Eee, Bay Rumsfeld. Buraya gelin lütfen, detaylı bir şekilde konuşalım."

Bu bir geri çekilme işaretiydi. Bunu biliyordu Rumsfeld. Sir Eli olmadan, Stillson bir hiçti.

Abdullah Gül ve bürokratlar havaalanında Türk elçisi tarafından karşılandı. Mert, alanın uzak bir köşesinde makineli tüfeği otomobilinin içerisinde bekliyordu. O uçak havalanıp da görev sona erene kadar oradan ayrılmayacaktı. Selçuk ve diğer Türkler Amerikalı yetkililerin korumasında yolcu uçağına doğru yaklaştılar. Herkesin çok heyecanlı olduğu görülebiliyordu. Büyük bir felaket atlatılmıştı.

Mert, Tracy'yi düşünüyordu. Her şey ne kadar da hızlı gelişmişti! Kurt'un olanlardan haberi yoktu. Ona haber vermeli miydi? Yağmur çiselemeye başladı. Uçak pistten hareket etmişti. O hâlâ Amerika'daydı.

Otomobiline atlayıp gaza bastı. Nereye gideceğini bilmiyordu. Aslında ülkesine dönmek istiyordu. Orada yapılacak çok fazla şey olmalıydı. Ama sanki çözmesi gereken bir şeyler varmış gibi hissetti.

Sonra bıraktı bu düşünceleri. Aslında çözülmesi gereken hiçbir şey yoktu. Önemli olan, görevin sona ermiş olmasıydı.

Bazı sorular aklından geçmiyor değildi. Sir Eli'nin olduğu yere doğru bir sürü top mermisi yollamıştı ama onun öldüğünü kendi gözleriyle görmemişti. Bilimsel Araştırma Merkezi'ni roketlerle yok etmişti, ama merkez tamamen yerle bir olmamıştı. Bunları düşünürse eğer asla içinin rahat edemeyeceğini biliyordu.

Deniz'i düşünmeyi ise hiç istemiyordu. Belli ki sebep her ne ise Tracy'yi öldürüp ortadan kaybolmuştu. Onu bir daha asla görmeyeceğini biliyordu.

28 Ekim 2007
İstanbul

Mühendis Serhan, yerdeki toprak tepeciğin üzerinde oturup kaldı. Önündeki manzara, hiç de aylar önce aynı noktaya geldiğinde gördüğü manzara değildi. Karşısında Boğaz Köprüsü duruyordu. Daha doğrusu Boğaz Köprüsü'nün yıkılmış hali. Görüntüsü korkunçtu. Tam ortasında koca bir boşluk oluşmuştu ve şimdi bütün köprünün tamamen yıkılması gerekiyordu. Yıkım işlemini, Japon mühendislerle beraber gerçekleştireceklerdi.

Türkiye imar faaliyetleri için önemli ölçüde kredi bulabilmişti. Japon bankalarının ilgisi özellikle dikkat çekiciydi. Türkiye'nin politik olarak gücünü artırdığını fark ettikleri için Türkiye'ye yatırım yapmaya devam ediyorlardı. Böylesine büyük bir felaketten bile güçlenerek çıkabilmiş bir Türkiye, para kazanmak isteyenler için bulunmaz fırsattı.

Serhan, toprak tepeciğin üzerinden kalktı ve kamyonların bulunduğu alana geldi. Tonlarca ağırlıktaki inşaat malzemeleri yığılıyordu alana. İşçiler karıncalar gibi malzemeleri gereken düzene göre yerleştiriyordu.

Boğaz Köprüsü tam olarak yıkıldıktan sonra şimdiye kadar kullanılmamış bir teknoloji ile inşa edilecekti. Tüp şeklindeki köprünün içinden yayalar da geçebilecekti. Yine bir Japon firmasının üstlendiği mimarlık işi için açılan yarışmayı kazanan projeydi bu.

Daha pek çok bina vardı onarılması gereken. Yıkılıp yeniden yapılması gerekenlerin işi daha çoktu. Maslak bölgesindeki yarısı uçmuş gökdelenlerin çalışmaları çoktan başlamıştı.

Yollardaki insanların yüzünde hiç de endişe yoktu artık. Büyük bir kötülüğü kapı dışarı etmenini verdiği rahatlığı hissediyorlardı.

Boğaz gecesine doğru adım atıyordu insanlar. Zamanda ilerlemenin en muhteşem biçimiydi bu. Mevsime rağmen durgun ve muhteşem bir hava vardı. Ay, dolunaydan sonraki dönemine girmişti. Her şey, bir dekor gibiydi ama dekorun önünde duranlar da o dekor için var olmuştu sanki. Birkaç tekne Boğaz'ın sularında seyrederken, ayın yansıması, yeni umutları birbirine bağlıyordu. Tarihte hep savaş görmüş ve yıkılmış, ama hep toparlanmış olan İstanbul, o an içinde yaşayanlara bıkmadan usanmadan verdiği dersi tekrar etmeye çalışıyordu. Kötülükler ve iyilikler geçici olabilirdi ama güzellik ve ihtişam, dünya var oldukça, sonsuza kadar kalabilirdi. İstanbul, sonbaharın çiğ damlaları kadar güzeldi ve hep güzel kalacaktı. Bu manzara insanın tüm savaşma duygularını alıp götürüyordu. Geride kalan ise, insanlığın yaşamın merkezinde olması için uğraş verdiği duygulardı.

Tarih bunu sürekli yapıyordu. Önce her şeyin sonu gelmiş gibi gösterip, sonra yeni bir hayatın kapısını açıyordu insanlara...